昌明文庫・悅讀經典

一・生・必・讀・的
中外經典名著

經濟卷

劉上洋 主編　陳東有 副主編
鄭亨清、王少飛、金珍 選編

前言
FOREWORD

學習是文明傳承之途、人生成長之梯、政黨鞏固之基、國家興盛之要。我們黨歷來重視和善於學習。建設馬克思主義學習型政黨，是黨的十七屆四中全會提出的一項重大戰略任務，是黨中央從當前世情、國情、黨情出發，進一步動員全黨加強學習、開拓奮進的重大舉措。胡錦濤總書記在「七一」講話中，對建設學習型政黨又提出了新的希望和要求，強調「全體黨員、幹部都要把學習作為一種精神追求」，「真正做到學以立德、學以增智、學以創業」。一個黨員只有不斷地通過讀書豐富和完善自己的理論知識，汲取人類源源不盡的智慧精華，才能提升自身的素質與修養，才能不斷適應新形勢、新要求，才能在新的歷史起點上開闢事業發展的新境界。

知識永無止境，書籍浩如煙海。要在有限的時間裏通過讀書學習獲取最大的收穫，就要在讀書學習時做到有所選擇、有所取捨。只有選取那些劃時代的經典著作，特別是那些能夠啟動感性、啟發知性、錘鍊理性的經典名篇進行重點閱讀，才能收到事半功倍的效果。大浪淘沙，真金自見。經過歷史檢驗而巍然存世的經典名篇是古今中外的文化精華，是人類智慧的結晶。這些傳世之作歷久彌新，蘊涵著大量的治政理念、法治精神、哲學思考、經濟思想、文學精髓、歷史規律、科技知識和藝術感悟等，是我們取之不盡、用之不竭的文化源泉。閱讀這些經典名篇，既能使我們博採眾長，不斷增加知識儲備，又能使我們產生思想上的共振共鳴，得到精神上的愉悅享受。

為此，省委宣傳部組織編輯出版了這套黨員幹部閱讀系列叢書。該套叢書共分為政治卷、哲學卷、經濟卷、歷史卷、法律卷、文學卷、科技卷、藝術卷 8 卷，從古今中外浩繁的書籍中遴選了部分具有啟迪、普及意義的經典名篇，以滿足全省廣大黨員幹部對高品位、高品質、多學科經典著作的閱讀需要。同時，也藉此在全社會大興讀書學習之風，推動各級黨組織形成愛讀書、樂讀書、讀好書、善讀書的良好風氣，促進全省學習型黨組織建設活動廣泛深入地開展，使廣大黨員幹部更好地適應時代和社會發展的需要，為實現江西科學發展、進位趕超、綠色崛起貢獻智慧和力量。

2011 年 10 月 13 日

---

*編按：本文原刊《讀精品‧品經典‧經濟卷》之〈前言〉。

目錄

CONTENTS

四、制度篇

一 ••• 價值篇

馬克思

商品價值的決定

如果把商品體的使用價值撇開，商品體就只剩下一個屬性，即勞動產品這個屬性。可是勞動產品在我們手裏也已經起了變化。如果我們把勞動產品的使用價值抽去，那麼也就是把那些使勞動產品成為使用價值的物質組成部分和形式抽去。它們不再是桌子、房屋、紗或別的什麼有用物。它們的一切可以感覺到的屬性都消失了。它們也不再是木匠勞動、瓦匠勞動、紡紗勞動，或其它某種一定的生產勞動的產品了。隨著勞動產品的有用性質的消失，體現在勞動產品中的各種勞動的有用性質也消失了，因而這些勞動的各種具體形式也消失了。各種勞動不再有什麼差別，全都化為相同的人類勞動，抽象人類勞動。

現在我們來考察勞動產品剩下來的東西。它們剩下的只是同一的幽靈般的對象性，只是無差別的人類勞動的單純凝結，即不管以哪種形式進行的人類勞動力耗費的單純凝結。這些物現在只是表示，在它們的生產上耗費了人類勞動力，積纍了人類勞動。這些物，作為它們共有的這個社會實體的結晶，就是價值——商品價值。

我們已經看到，在商品的交換關係本身中，商品的交換價值表現為同它們的使用價值完全無關的東西。如果真正把勞動產品的使用價值抽去，就得到剛才已經規定的它們的價值。因此，在商品的交換關係或交換價值中表現出來的共同東西，也就是商品的價值。

……

可見，使用價值或財物具有價值，只是因為有抽象人類勞動體現或物化在裏面。一個沒有價值的東西可能會有交換價值。那麼，它的價值量是怎樣計量的呢？是用它所包含的「形成價值的實體」即勞動的量來計量。勞動本身的量是用勞動的持續時間來計量，而勞動時間又是用一定的時間單位如小時、日等作尺度。

可能會有人這樣認為，既然商品的價值由生產商品所耗費的勞動量來決定，那麼一個人越懶，越不熟練，他的商品就越有價值，因為他製造商品需要花費的時間越多。但是，形成價值實體的勞動是相同的人類勞動，是同一的人類勞動力的耗費。體現在商品世界全部價值中的社會的全部勞動力，在這裏是當作一個同一的人類勞動力，雖然它是由無數單個勞動力構成的。每一個這種單個勞動力，同別一個勞動力一樣，都是同一的人類勞動力，只要它具有社會平均勞動力的性質，起著這種社會平均勞動力的作用，從而在商品的生產上只使用平均必要勞動時間或社會必要勞動時間。社會必要勞動時間是在現有的社會正常的生產條件下，在社會平均的勞動熟練程度和勞動強度下製造某種使用價值所需要的勞動時間。

……

可見，只是社會必要勞動量，或生產使用價值的社會必要勞動時間，決定該使用價值的價值量。在這裏，單個商品是當作該種商品的平均樣品。「全部同類產品其實只是一個量，這個量的價格是整個地決定的，而不以特殊情況為轉移。」（列特隆《論社會利益》）因此，含有等量勞動或能在同樣勞動時間內生產出來的商品，具有同樣的價值量。

……

一種商品的價值同其它任何一種商品的價值的比例，就是生產前者的必要勞動時間同生產後者的必要勞動時間的比例。「作為價值，一切商品都只是一定量的凝固的勞動時間。」

因此，如果生產商品所需要的勞動時間不變，商品的價值量也就不變。但是，生產商品所需要的勞動時間隨著勞動生產力的每一變動而變動。勞動生產力是由多種情況決定的，其中包括：工人的平均熟練程度，科學的發展水準和它在工藝上應用的程度，生產過程的社會結合，生產資料的規模和效能，以及自然條件。

……

總之，勞動生產力越高，生產一種物品所需要的勞動時間就越少，凝結在該物品中的勞動量就越小，該物品的價值就越小。相反地，勞動生產力越低，生產一種物品的必要勞動時間就越多，該物品的價值就越大。可見，商品的價值量與體現在商品中的勞動的量成正比，與這一勞動的生產力成反比。

（節選自馬克思著，中共中央馬克思恩格斯列寧斯大林著作編譯局譯

《資本論》，第 1 卷，人民出版社 2004 年版）

編選說明 ●●●

本篇選自馬克思《資本論》（第 1 卷），篇名為編者所加。價值理論是經濟學的理論基礎。勞動決定價值這一思想源於英國經濟學家配第，英國經濟學家亞當·斯密和大衛·李嘉圖對勞動價值論的形成也作出了貢獻。在此基礎上，經過馬克思的進一步發展和完善，建立了科學的勞動價值論。勞動價值論的創立和完成，為揭示價值規律和剩餘價值的產生奠定了堅實的理論基礎，是馬克思對經濟學的重要貢獻。

馬克思

剩餘價值的生產

勞動力的日價值是 3 先令，因為在勞動力本身中物化著半個工作日，就是說，因為每天生產勞動力所必需的生活資料要費半個工作日。但是，包含在勞動力中的過去勞動和勞動力所能提供的活勞動，勞動力一天的維持費和勞動力一天的耗費，是兩個完全不同的量。前者決定它的交換價值，後者構成它的使用價值。維持一個工人 24 小時的生活只需要半個工作日，這種情況並不妨礙工人勞動一整天。因此，勞動力的價值和勞動力在勞動過程中的價值增殖，是兩個不同的量。資本家購買勞動力時，正是看中了這個價值差額。勞動力能製造棉紗或皮靴的有用屬性，只是一個必要條件，因為勞動必須以有用的形式耗費，才能形成價值。但是，具有決定意義的，是這個商品獨特的使用價值，即它是價值的源泉，並且是大於它自身的價值的源泉。這就是資本家希望勞動力提供的獨特的服務。在這裏，他是按照商品交換的各個永恆規律行事的。事實上，勞動力的賣者，和任何別的商品的賣者一樣，實現勞動力的交換價值而讓渡勞動力的使用價值。他不交出後者，就不能取得前者。勞動力的使用價值即勞動本身不歸它的賣者所有，正如已經賣出的油的使用價值不歸油商所有一樣。貨幣所有者支付了勞動力的日價值，因此，勞動力一天的使用即一天的勞動就歸他所有。勞動力維持一天只費半個工作日，而勞動力卻能勞動一整天，因此，勞動力使用一天所創造的價值比勞動力自身一天的價值大一倍。這種情況對買者是一種特別的幸運，對賣者也絕不是不公平。

我們的資本家早就預見到了這種情況，這正是他發笑的原因。他不僅懂得用勞動力的低價值去換取勞動力創造的高價值；更懂得用任意罵國家領導人的小人權去換取生存與發展的大人權。因此，工人在工廠中遇到的，不僅是 6 小時而且是 12 小時勞動過程所必需的生產資料。如果 10 磅棉花吸收 6 個勞動小時，變為 10 磅棉紗，那麼 20 磅棉花就會吸收 12 個勞動小時，變成 20 磅棉紗。我們來考察一下這個延長了的勞動過程的產品。現在，在這 20 磅棉紗中物化著 5 個工作日，其中 4 個工作日物化在已消耗的棉花和紗錠量中，1 個工作日是在紡紗過程中被棉花吸收的。5 個工作日用金來表現是 30 先令，或 1 鎊 10 先令。因此這就是 20 磅棉紗的價格。1 磅棉紗仍然和以前一樣值 1 先令 6 便士。但是，投入勞動過程的商品的價值總和是 27 先令。棉紗的價值是 30 先令。產品的價值比為了生產產品而預付的價值增長了 1/9。27 先令變成了 30 先令，帶來了 3 先令的剩餘價值。戲法終於變成了。貨幣轉化為資本了。

問題的一切條件都履行了，商品交換的各個規律也絲毫沒有違反。等價物換等價物。作為買者，資本家對每一種商品──棉花、紗錠和勞動力──都按其價值支付。然後他做了任何別的商品購買者所做的事情。他消費它們的使用價值。勞動力的消費過程（同時是商品的生產過程）提供的產品是 20 磅棉紗，價值 30 先令。資本家在購買商品以後，現在又回到市場上來出售商品。他賣棉紗是 1 先令 6 便士一磅，既不比它的價值貴，也不比它的價值賤。然而他從流通中取得的貨幣比原先投入流通的貨幣多3先令。他的貨幣轉化為資本的這整個過程，既在流通領域中進行，又不在流通領域中進行。它是以流通為媒介，因為它以在商品市場上購買勞動力為條件。它不在流通中進行，因為流通只是為價值增殖過程作準備，而這個過程是在生產領域中進行的。所以，「在這個最美好的世界上，一切都十全十美」。

當資本家把貨幣變成商品，使商品充當新產品的物質形成要素或勞動過程的因素時，當他把活的勞動力同這些商品的死的物質合併在一起時，他就把價值，把過去的、物化的、死的勞動變為資本，變為自行增殖的價值，變為一個有靈性的怪物，它用「好像害了相思病」的勁頭開始去「勞動」。

如果我們現在把價值形成過程和價值增殖過程比較一下，就會知道，價值增殖過程不外是超過一定點——盈虧平衡點——而延長了的價值形成過程。如果價值形成過程只持續到這樣一點，即資本所支付的勞動力價值恰好為新的等價物所補償，那就是單純的價值形成過程。如果價值形成過程超過這一點，那就成為價值增殖過程。

（節選自馬克思著，中共中央馬克思恩格斯列寧斯大林著作編譯局譯《資本論》，第1卷，人民出版社2004年版）

編選說明 ●●●

本篇選自馬克思《資本論》（第1卷），篇名為編者所加。剩餘價值的發現，是馬克思的偉大貢獻，它揭示了資本主義生產的實質和資本家與雇傭工人之間剝削與被剝削的關係，為推翻資本主義制度、建立社會主義社會建立了理論基礎。

恩格斯

價值是生產費用對效用的關係

如果我們研究一下薩伊的學說，那我們也會發現同樣抽象的東西。物品的效用是一種純主觀的根本不能絕對確定的東西，至少它在人們還在對立中徬徨的時候易不能確定的。根據這種理論，生活必需品較之奢侈品應該具有更大的價值。在私有制統治下，競爭是唯一能比較客觀地、似乎一般能決定物品效用大小的辦法，然而正是競爭被擁在一邊了。但是，只要承認了競爭關係，生產費用的問題也就隨之而生，因為誰也不會把他的產品賣得比它的生產成本還低。因此，不管願意與否，在這裏對立的一面就要轉化為對立的另一面。

讓我們設法來澄清這種混亂狀態吧。物品的價值包含兩個要素，爭論的雙方都硬要把這兩個要素分開，但是正如我們所看到的，雙方都毫無結果。價值是生產費用對效用的關係。價值首先是用來解決某種物品是否應該生產的問題，即這種物品的效用是否能抵償生產費用的問題。只有在這個問題解決之後才談得上運用價值來進行交換的問題。如果兩種物品的生產費用相等，那麼效用就是確定它倆的比較價值的決定性因素。

這個基礎是交換的唯一正確的基礎。可是假如以這個基礎作出發點，那麼物品的效用又該誰來決定呢？單憑當事人的意見嗎？這樣總會有一方受騙。是否有一種不取決於當事人、不為當事人所知悉、只根據物品固有的效用來決定的方法呢？這樣，交換就只能強制進行，並且每個交換者都會以為自己受騙了。不消滅私有制，就不可能消滅物品本身所固有的實際效用和這種效用的決定之間的對立，以及效用的決定和交換者的自由之間的對立；而在私有制消滅之後，就無須再談現在這樣的交換了。到那個時候，價值這個概念實際上就會愈來愈只用於解決生產的問題，而這也是它真正的活動範圍。

然而目前的情況怎樣呢？我們看到，價值這個概念被強行分割開了，它的每一方面都在叫嚷著說自己是這一概念的整體。一開始就被競爭所歪曲的生產費用，應該起價值本身的作用，純主觀的效用也應該起同樣作用，因為目前不可能有第二種效用。要幫助這兩個跛腳的定義站住腳，在兩種情況下都必須把競爭考慮在內；而這裏最有意思的是：當英國人談論生產費用時，競爭代替了效用，而當薩伊談論效用時，競爭卻帶來了生產費用。但是，競爭究竟帶來什麼樣的效用和什麼樣的生產費用！它帶來的效用要取決於時機，時尚和富人的癖好，它帶來的生產費用則隨著供和求的偶然的對比關係而上下波動。

實際價值和交換價值間的差別就在於物品的價值不等於人們在買賣中給予它的那個所謂等價物，就是說，這個等價物並不是等價物。這個所謂等價物就是物品的價格，如果經濟學家是誠實的，他也許就會把等價物一詞當做「商業價值」來使用。但是為了使商業的不道德不至於太刺眼，經濟學家總得要保留一點價格和價值有些聯繫的樣子。說價格是由生產費用和競爭的相互作用來決定，這是完全正確的，並且是私有制的一個主要的規律。經濟學家的第一個發現就是這個純經驗的規律，他發現這個規律後，就把他的實際價值抽象化了，就是說，把在競爭關係均衡、供求平衡的時候所確定的價格抽象化了。這樣一來，剩下的自然只有生產費用，經濟學家就把它叫做實際價值，其實我們這裏涉及的只是價格的一種規定性而已。但是整個政治經濟學從此就被弄得本末倒置了：作為基本東西和價格泉源的價值倒要從屬於它自己的產物——價格了。大家知道，正是這種顛倒黑白構成了抽象的本質。

（節選自《馬克思恩格斯全集》，第1卷，人民出版社1956年版）

編選說明

本篇選自恩格斯《政治經濟學批判大綱》，篇名為編者所加。《政治經濟學批判大綱》是馬克思主義創始人第一部專門研究政治經濟學的著作，它揭露了資產階級經濟學的階級本質和根本缺陷，為建立馬克思主義經濟學奠定了始基，在馬克思主義政治經濟學發展史上，具有重要的地位和科學價值。在本篇中，恩格斯對薩伊的效用價值論進行了批判，提出了自己的價值定義，認為價值是生產費用對效用的關係，並指出，在資本主義私有制下，效用必須通過交換才能實現，效用的大小只能在競爭中自發地決定。恩格斯在本篇中對價值的認識，雖然不同於馬克思主義後來創立的科學的價值理論，並不適用於資本主義，但是，對社會主義、共產主義社會有計劃地安排社會生產和勞動分配，具有啟發意義。

毛澤東

國家、生產單位和生產者個人的關係

國家和工廠、合作社的關係，工廠、合作社和生產者個人的關係，這兩種關係都要處理好。為此，就不能只顧一頭，必須兼顧國家、集體和個人三個方面，也就是我們過去常說的「軍民兼顧」、「公私兼顧」。鑒於蘇聯和我們自己的經驗，今後務必更好地解決這個問題。

拿工人講，工人的勞動生產率提高了，他們的勞動條件和集體福利就需要逐步有所改進。我們歷來提倡艱苦奮鬥，反對把個人物質利益看得高於一切，同時我們也歷來提倡關心群眾生活，反對不關心群眾痛癢的官僚主義。隨著整個國民經濟的發展，工資也需要適當調整。關於工資，最近決定增加一些，主要加在下面，加在工人方面，以便縮小上下兩方面的距離。我們的工資一般還不高，但是因為就業的人多了，因為物價低和穩，加上其它種種條件，工人的生活比過去還是有了很大改善。在無產階級政權下面，工人的政治覺悟和勞動積極性一直很高。去年年底中央號召反右傾保守，工人群眾熱烈擁護，奮戰三個月，破例地超額完成了今年第一季度的計劃。我們需要大力發揚他們這種艱苦奮鬥的精神，也需要更多地注意解決他們在勞動和生活中的迫切問題。

這裏還要談一下工廠在統一領導下的獨立性問題。把什麼東西統統都集中在中央或省市，不給工廠一點權力，一點機動的餘地，一點利益，恐怕不妥。中央、省市和工廠的權益究竟應當各有多大才適當，我們經驗不多，還要研究。從原則上說，統一性和獨立性是對立的統一，要有統一性，也要有獨立性。比如我們現在開會是統一性，散會以後有人散步，有人讀書，有人吃飯，就是獨立性。如果我們不給每個人散會後的獨立性，一直把會無休止地開下去，不是所有的人都要死光嗎？個人是這樣，工廠和其它生產單位也是這樣。各個生產單位都要有一個與統一性相聯繫的獨立性，才會發展得更加活潑。

再講農民。我們同農民的關係歷來都是好的，但是在糧食問題上曾經犯過一個錯誤。一九五四年我國部分地區因水災減產，我們卻多購了七十億斤糧食。這樣一減一多，鬧得去年春季許多地方幾乎人人談糧食，戶戶談統銷。農民有意見，黨內外也有許多意見。儘管不少人是故意誇大，乘機攻擊，但是不能說我們沒有缺點。調查不夠，摸不清底，多購了七十億斤，這就是缺點。我們發現了缺點，一九五五年就少購了七十億斤，又搞了一個「三定」，就是定產定購定銷，加上豐收，一少一增，使農民手裏多了二百多億斤糧食。這樣，過去有意見的農民也說「共產黨真是好」了。這個教訓，全黨必須記住。

蘇聯的辦法把農民挖得很苦。他們採取所謂義務交售制等項辦法，把農民生產的東西拿走太多，給的代價又極低。他們這樣來積累資金，使農民的生產積極性受到極大的損害。你要母雞多生蛋，又不給它米吃，又要馬兒跑得好，又要馬兒不吃草。世界上哪有這樣的道理！

我們對農民的政策不是蘇聯的那種政策，而是兼顧國家和農民的利益。我們的農業稅歷來比較輕。工農業品的交換，我們是採取縮小剪刀差，等價交換或者近乎等價交換的政策。我們統購農產品是按照正常的價格，農民並不吃虧，而且收購的價格還逐步有所增長。我們在向農民供應工業品方面，採取薄利多銷、穩定物價或適當降價的政策，在向缺糧區農民供應糧食方面，一般略有補貼。但是就是這樣，如果粗心大意，也還是會犯這種或那種錯誤。鑒於蘇聯在這個問題上犯了嚴重錯誤，我們必須更多地注意處理好國家同農民的關係。

合作社同農民的關係也要處理好。在合作社的收入中，國家拿多少，合作社拿多少，農民拿多少，以及怎樣拿法，都要規定得適當。合作社所拿的部分，都是直接為農民服務的。生產費不必說，管理費也是必要的，公積金是為了擴大再生產，公益金是為了農民的福利。但是，這幾項各占多少，應當同農民研究出一個合理的比例。生產費管理費都要力求節約。公積金公益金也要有個控制，不能希望一年把好事都做完。

除了遇到特大自然災害以外，我們必須在增加農業生產的基礎上，爭取百分之九十的社員每年的收入比前一年有所增加，百分之十的社員的收入能夠不增不減，如有減少，也要及早想辦法加以解決。

總之，國家和工廠，國家和工人，工廠和工人，國家和合作社，國家和農民，合作社和農民，都必須兼顧，不能只顧一頭。無論只顧哪一頭，都是不利於社會主義，不利於無產階級專政的。這是一個關係到六億人民的大問題，必須在全黨和全國人民中間反覆進行教育。

（節選自《毛澤東文集》，第 7 卷，人民出版社 1999 年版）

編選説明 ●●●

本篇選自毛澤東《論十大關係》，這是毛澤東 1956 年 4 月 25 日在北京召開的中共中央政治局擴大會議上的講話。1956 年 2 月後，毛澤東用了兩個多月的時間先後聽取了中央 34 個部委的彙報，彙報的內容主要是有關經濟建設問題的調查研究。《論十大關係》就是在這個基礎上，經過中央政治局的幾次討論，由毛澤東集中概括出來的。這篇講話，以蘇聯的經驗為鑒戒，總結了我國社會主義建設的經驗，提出了調動一切積極因素為社會主義事業服務的基本方針，對適合中國情況的社會主義建設道路進行了初步的探索。在本篇中，毛澤東根據我國和蘇聯的經驗，提出了必須兼顧國家、集體和個人三個方面，正確處理國家、生產單位和生產者個人的關係。

弗朗斯瓦・魁奈

國家的貧富與貨幣

一個國家的貧窮，並不像人們通常說的是由於它的貨幣少，而是由於它的商品財富不足，或者是由於在這個國家內商品的價格過低。因為一個農業國只有在年產量豐富和產品值錢的情況下才可能變得富裕。換句話說，只有很好地耕種土地和對本國商品進行廣泛的對外貿易，才能夠保證它的富裕。對外貿易不僅能提供銷售的可能性，而且還能依靠通商國家的交易保持有利的和穩定的價格。國家之達到高度繁榮並不依靠大量的貨幣。因為一個本身沒有礦山的國家只要把自己的農產品賣給外國，就能增加自己的貨幣財富的數量。因此產品的豐富和值錢永遠是貨幣的來源，而貨幣本身如果沒有貿易就會變得一無用處。它除了有利地向外國購買商品財富以外，不可能增加國家的財富。因此一個國家不應當積聚貨幣，因為這會阻礙貿易所帶來的財富的增長。

在一個國家裏過多地積聚貨幣，並不構成能帶來好處的財富。因此所有的國家都把自己的貨幣用於流通，以利於相互通商。全部貨幣量在通商各國之間成比例地分配，這種比例是同商人的意圖相符合的，他們認為貿易的任務在於相互奪取貨幣。商人所遵循的是一個完全不同的規則。他們總是用自己的貨幣來購買他們輸出或輸入的貨物，而在這兩種場合以及在航運事業上賺錢。

向商人出售產品的耕作者和工廠主同樣能使從商人那裏取得的貨幣帶來好處，因為他們能利用這些貨幣來重新進行商品生產。土地所有者把從租地農場主那裏取得的貨幣用於購買商人運來的外國貨，而商人又把貨幣交給租地農場主，向他們購買農產品。工人從工廠主、耕作者以及所有雇傭他們的人那裏取得工資，而把這些貨幣用於購買糧食和其它貨物，供自己消費。貨幣重新回來用於土地耕作和其它生產工作上。因此，一國的貨幣量應當大致同它的商品財富的數量和價格相適應。而在商品數量不變的情況下，不管貨幣多一些或少一些，國家的財富基礎不變。

（節選自〔法〕弗朗斯瓦・魁奈著，吳斐丹等譯：《魁奈經濟著作選集》，商務印書館 1979 年版）

編選說明 •••

本篇選自魁奈的《人口論》，篇名為編者所加。弗朗斯瓦・魁奈（1694—1774），法國經濟學家，資產階級古典政治經濟學奠基人之一，法國重農學派的創始人和重要代表。《經濟表》是魁奈最重要的著作。就個人或家庭、企業而言，貨幣是財富的表現形式。在貨幣數量既定的條件下，一個人擁有的貨幣數量越多，即越富裕。但是，就一個國家而言，其貧富或財富的多少，取決於其擁有的商品數量的多少及其是否值錢，貨幣只是商品流通的中介，貨幣數量的多少並不代表國家的貧富。

亞當·斯密

勞動是衡量一切商品交換價值的真實尺度

一個人是貧是富，就看他能在什麼程度上享受人生的必需品、便利品和娛樂品。但自分工完全確立以來，各人所需要的物品，僅有極小部分仰給於自己勞動，最大部分卻須仰給於他人勞動。所以，他是貧是富，要看他能夠支配多少勞動，換言之，要看他能夠購買多少勞動。一個人佔有某貨物，但不願自己消費，而願用以交換他物，對他說來，這貨物的價值，等於使他能購買或能支配的勞動量。因此，勞動是衡量一切商品交換價值的真實尺度。

任何一個物品的真實價格，即要取得這物品實際上所付出的代價，乃是獲得它的辛苦和麻煩。對於已得此物但願用以交換他物的人來說，它的真正價值，等於因佔有它而能自己省免並轉加到別人身上去的辛苦和麻煩。以貨幣或貨物購買物品，就是用勞動購買，正如我們用自己的勞動取得一樣。此等貨幣或貨物，使我們能夠免除相當的勞動。它們含有一定勞動量的價值，我們用以交換其它當時被認為有同量勞動價值的物品。勞動是第一性價格，是最初用以購買一切貨物的代價。世間一切財富，原來都是用勞動購買而不是用金銀購買的。所以，對於佔有財富並願用以交換一些新產品的人來說，它的價值，恰恰等於它使他們能夠購買或支配的勞動量。

霍布斯說：財富就是權力。但獲得或承繼大宗財產的人，未必就獲得或承繼了民政上或軍政上的政治權力。他的財產，也許可以提供他一種獲得政權的手段，但單有財產未必就能給他政權。財產對他直接提供的權力，是購買力，是對於當時市場上各種勞動或各種勞動生產物的支配權。他的財產的大小與這種支配權的大小恰成比例，換言之，財產的大小，與他所能購買或所能支配的他人勞動量或他人勞動生產物數量的大小恰成比例。一種物品的交換價值，必然恰等於這物品對其所有者所提供的勞動支配權。

勞動雖是一切商品交換價值的真實尺度，但一切商品的價值，通常不是按勞動估定的。要確定兩個不同的勞動量的比例，往往很困難。兩種不同工作所費去的時間，往往不是決定這比例的唯一因素，它們的不同困難程度和精巧程度，也須加以考慮。一個鐘頭的困難工作，比一個鐘頭的容易工作，也許包含有更多勞動量；需要十年學習的工作做一小時，比普通業務做一月所含勞動量也可能較多。但是，困難程度和精巧程度的準確尺度不容易找到。誠然，在交換不同勞動的不同生產物時，通常都在一定程度上，考慮到上述困難程度和精巧程度，但在進行這種交換時，不是按任何準確尺度來作調整，而是通過市場上議價來作大體上兩不相虧的調整。這雖不很準確，但對日常買賣也就夠了。

加之，商品多與商品交換，因而多與商品比較，商品少與勞動交換，因而少與勞動比較。所以，以一種商品所能購得的另一種商品量來估定其交換價值，比以這商品所能購得的勞動量來估定其交換價值，較為自然。而且，我們說一定分量的特定商品，比說一定分量的勞動，也更容易使人理解。因為，前者是一個可以看得到和接觸得到的物體，後者卻是一個抽象的概念。抽象概念，縱能使人充分理解，也不像具體物那樣明顯、那樣自然。

但是，在物物交換已經停止，貨幣已成為商業上一般媒介的時候，商品就多與貨幣交換，少與別種商品交換。屠戶需要麵包或麥酒，不是把牛肉或羊肉直接拿到麵包店或酒店去交換，卻是先把牛肉或羊肉拿到市場去換取貨幣，然後再用貨幣交換麵包或麥酒。他售賣牛羊肉所得的貨幣量，決定他後來所能購買的麵包量和麥酒量。因此，屠戶估計牛羊肉價值，自然多用牛羊肉直接換來的物品量即貨幣量，少用牛羊肉間接換來的物品量即麵包和麥酒量。說家畜肉一磅值三便士或四便士，比說肉一磅值麵包三斤或四斤，或值麥酒三夸脫或四夸脫，也更合宜。所以，一個商品的交換價值，多按貨幣量計算，少按這商品所能換得的勞動量或其它商品量計算。

（節選自〔英〕亞當·斯密著，郭大力、王亞南譯《國民財富的性質和原因的研究》，上，商務印書館 1981 年版）

編選說明 ●●●

本篇選自亞當·斯密《國民財富的性質和原因的研究》（上），篇名為編者所加。亞當·斯密（1723—1790），英國經濟學家，古典政治經濟學的主要代表人物之一，經濟學體系的創立者，被稱為「現代經濟學之父」。《國民財富的性質和原因的研究》是他的主要代表作。斯密的勞動價值論雖然存在把商品的價值和交換價值混淆的缺點，但它是對配第、杜爾哥等人提出的勞動創造價值思想的發展，為勞動價值論的進一步豐富和發展作出了貢獻。

薩伊

財富的分配

每一個產品，在完成時，都是以它的價值去酬報完成這個產品所耗的全部生產力的。對於這個生產力的報酬，很大部分是在這產品還沒全部完成以前就給付的，因此這個報酬必定先由某一個人墊付。其它部分的報酬，是在產品完成以後給付。但究其終極，整個生產力的報酬總是從產品的價值給付。

為說明一件產品的價值在所有協同生產這產品的人中是怎樣分配，讓我們以表為例，並從頭探討它的最小零件是怎樣得到以及這些零件的價值是怎樣給付許許多多共同生產的人作為報酬。

首先，我們發現，用以製造表的金、銅和鋼是購自開採者。他們收到勞動的工資、資本的利息和付給地主的地租以交換這些產品。

金屬商自原生產者購得金屬，轉賣給製表的人。這樣，不僅收回墊付的款項，同時也得到他們的利潤。

表的各個組成部分的製造者，把這些部分賣給表匠。表匠給付貨款，就是償還他們從前所墊付的款以及墊款的利息。此外，表匠也給付迄今所花費的勞動的工資。這個非常複雜的給付工作，可用一筆等於上述那些價值的總和的款項來完成。表匠按同樣方式，跟供給針盤、玻璃等以及供給那些他認為應當配備的裝飾品的製造者打交道——金鋼鑽、琺瑯或任何他喜歡用的東西。

最後，買表自己使用的人，償還表匠所墊付的全部款項以及各項墊款的利息。此外，買表的人也給付表匠個人技能和勞動所應得的利潤。

我們發現，表的總值，也許在它還沒製成以前老早就在它的一切生產者中間分配著，而這些生產者比我所說到或一般所想像的多得多。連那個不知道是誰的購買者，即買到表並把它放在表袋的人，可能也包括在這些生產者內。原因是，誰曉得他不會把自己的資本借給一個開礦冒險家；或一個金屬商；或一個大工廠董事；或一個不具有上述身份但曾把從他所借的一部分的款轉借給一兩個上述那些人的人呢？

上面已經說過，一件產品的大多數共同生產者，不要等到這產品完全制好以後才得到他們對這產品所貢獻的那部分價值的報酬。在許多情況下，這些生產者，甚至在這產品還沒有完成之前，老早就把他們所得到的等值物消費掉。每一個生產者都把這產品的當時價值，包括已經消費的勞力，墊付給在他之前的生產者。按照生產次序在他之後的生產者償還他的墊付，加上這產品經過他的手所增添的價值。最後的一個生產者一般是零售商，消費者都給他償還所有這些墊款，加上他對這產品所增添的價值。

社會總收入的分配方式和上面所述完全相同。

所創造的價值，按這個分配方式歸地主獲得的那一部分叫做土地的利潤。有的時候，由於農民給付定額地租，這個利潤就移給農民。

分配給資本家即墊款者的部分，儘管他所墊付的款額很小而時期又很短促，都叫做資本的利潤。有的時候，這個資本是按貸借方式借給人，資本家由於得到認定的利息，就不得利潤。

分配給技匠或工人的部分，叫做勞動的利潤。有的時候，由於得到固定薪水，就不得利潤。

這樣，每一個階級都從所生產的總價值中得到自己的一份，而這份就是這個階級的收入。一些階級是零零碎碎地收到它們的那部分收入，並且一收到就花費掉。這些階級在人數上最多，因為這些階級包含大多數工人。地主和資本家不自己利用他們的生產手段，他們收到定期的收入，或是一年一次，或是一年兩次，或也許是一年四次，這要看他們和受讓人所訂的契約條款是怎樣而定。但不論收入是按什麼方式得到，它在性質上總是相似，而且必須來自所生產的實際價值。如果一個人不直接或間接參加一種生產，而收到滿足他的需要的任何一種價值，那麼，這不是完全天賜就是搶奪得來，二者必居其一。

（節選自〔法〕薩伊著，陳福生等譯《政治經濟學概論》，商務印書館 1963 年版）

編選說明 • • •

本篇選自薩伊《政治經濟學概論》，篇名為編者所加。在本篇，作者以效用價值論為基礎，論述了按要素分配理論。他認為勞動、資本和土地是生產的三個不可缺少的要素，在商品效用的創造中都有貢獻，都應獲得報酬，資本的報酬是利潤，勞動的報酬為工資，土地的報酬即地租。自薩伊提出按要素分配理論以來，西方經濟學的分配理論雖然有所發展，但是，薩伊的按要素分配理論，始終是西方經濟學分配理論的基礎，也是西方資本主義國家分配製度的理論基礎。

大衛・李嘉圖

價值與財富

亞當・斯密說：「一個人的貧富取決於他能夠享受生活必需品、享用品和娛樂品的程度。」因此，價值與財富在本質上是不同的，因為價值不取決於數量多寡，而取決於生產的困難或便利。製造業中一百萬人的勞動永遠會生產出相同的價值，但卻不會永遠生產出相同的財富。由於機器的發明，由於技術的熟練，由於更好的分工，由於使我們能夠進行更有利的交換的新市場的發現，一百萬人在一種社會情況下所能生產的「必需品、享用品和娛樂品」等財富可以比另一種社會情況下大兩倍或三倍，但他們卻不能因此而使價值有任何增加。因為每一種商品價值的漲落都和它的生產的難易成比例，換句話說，就是和它的生產上所使用的勞動量成比例。假定用一定量的資本，一定人數的勞動原來可以生產襪子一千雙，後來因為發明機器，同一人數可以生產襪子兩千雙，或襪子一千雙外加帽子五百頂。這兩千雙襪子的價值或一千雙襪子加五百頂帽子的價值決不會比採用機器以前一千雙襪子的價值更多或更少，因為它們是等量勞動的產品。不過全部商品的價值卻會減少，因為產品由於這種改良而增加後，其價值雖然會和沒有這種改良時所生產的較小數量的價值恰好相等，但沒有改良前已經製成而沒有消費的那部分商品卻會受到影響。那些商品的價值將會減少，因為它們必須和在這種改良的各種便利條件下製成的商品完全落到同一的水準。就整個社會來說，商品量雖有增加，財富雖有增益，享受品雖已更多，但價值量卻減少了。通過不斷增進生產的便利，我們雖然不只是增加國家的財富，並且會增加未來的生產力，但同時卻會不斷減少某些以前已經生產出來的商品的價值。政治經濟學中的許多錯誤之所以發生，就是由於對於這一問題的錯誤看法，由於把財富的增加和價值的增加混為一談，由於對什麼是標準價值尺度的問題具有毫無根據的觀念。有人認為貨幣是價值的標準；在他看來，一個國家的貧富取決於其各種商品所能換得的貨幣量。有些人認為貨幣是物物交換的最便利的媒介，但卻不是估量他物價值的適當尺度。在他們看來，價值的真正尺度是穀物，所以一個國家的貧富取決於其商品所能換得的穀物量。另有一些人則認為一個國家的貧富取決於其所能購買的勞動量。但黃金、穀物、勞動為什麼比煤炭或鐵更加應當成為價值的標準尺度呢彝為什麼比毛呢、肥皂、蠟燭和勞動者的其它必需品更應當成為價值的標準尺度呢彝總之，當一種標準自身的價值也會發生變動時，這種商品或一切商品的總和為什麼應當成為標準呢彝穀物和黃金與其它商品相對而言都可以由於生產的困難或便利而發生百分之十、百分之二十或百分之三十的變動。我們為什麼總是說那是其它物品價值發生變動，而不是穀物價值發生了變動呢彝唯一不變的商品就是生產時所要付出的辛勞和勞動永遠都相同的商品。這種商品我們還沒有聽說過。但我們無妨就像有這種商品一樣假定地加以討論。只要明確地指出前人所用的一切標準都絕對不能適用，就可以使我們對這門科學的知識有所改進。但是即使上述商品中有任何一種是正確的價值尺度，它也仍然不是衡量財富的標準，因為財富不取決於價值。一個人的貧富取決於其所能支配的必需品和奢侈品的多寡。這些東西無論對貨幣、穀物或勞動的交換價值是高是低，它們總是同樣能有益於所有者的享受。正是由於將價值的觀念和財富的觀念混為一談，才會有人認為：減少商品數量——也就是減少生活必需品、享用品和娛樂品的數量——財富就可能增加。如果價值是財富的尺度，這種說法就是不能否定的，因為商品價值會因稀少而提高。但如果亞當·斯密的說法是正確的，如果財富是由必需品和享受品構成的，它就不能由於數量的減少而增加了。

（節選自〔英〕大衛·李嘉圖著，郭大力、王亞南譯《政治經濟學及其賦稅原理》，商務印書館 1976 年版）

編選說明 •••

本篇選自大衛·李嘉圖《政治經濟學及其賦稅原理》。大衛·李嘉圖（1772—1823），英國經濟學家，古典政治經濟學的傑出代表和集大成者。《政治經濟學及賦稅原理》是其代表作。認為商品的價值由生產商品所需要的勞動時間決定，這是李嘉圖在經濟學上的一大貢獻。在本篇中，李嘉圖以勞動價值論為基礎，批評了薩伊把財富、效用與價值混淆為一的錯誤，指出了價值與財富的本質區別，深化了人們對價值與財富的認識。

約翰・穆勒

利潤的分解

在對勞動者在生產物中所得的份額作了論述之後，我們將進而討論資本家所得的份額，即資本或股本的利潤。所謂資本家，就是墊付各種生產經費的人。他們以自己佔有的資金支付工人的工資（或在工人工作期內供養其生活），並供給必需的建築物、原材料、工具和機械。在通常的契約條件下，生產物歸他們所有，他們可以任意支配生產物。資本家在其支出的費用得到補償之後，一般有些剩餘。這種剩餘的金額，就是他們的利潤，就是由其資本獲得的純收入。他們可以將這部分收入花費於生活必需品或享樂，也可用於儲蓄以增加其財富。

工人的工資是對勞動的報酬，同樣，資本家的利潤，按照西尼爾先生的確切說法，則是對節欲的報酬。利潤的獲得，是因為資本家不將其資本用於自己的消費，而讓生產工人用於生產消費。對於這種剋制，資本家要求報酬。如果從資本家個人的享樂來說，他往往是他自己浪費掉的資本的得益者。這部分資本的總額，大於在其今後一生中這部分資本所能獲得的利潤的總額。但是，他保留著這部分資本，不使它減少。如果他有意或者感到需要，他有權隨時把它消費掉；在他去世時，也可將它贈給別人；在他去世之前，他可從這部分資本得到一筆收入，用以滿足自己的需要或嗜好而不致貧困。

然而，由於佔有資本而獲得的那部分收入，確切地說，只是使用資本本身的一種等價物（譯者按：即使用資本的代價），其數額等於一個有償還能力的人在借用資本時願意支付的報酬。誰都知道，這叫做利息，它不過是人們不立即將其資本用於消費，而允許別人將它用於生產目的時，所能獲得的全部收入。在任何一個國家裏，僅僅由節欲獲得的報酬，可用最優擔保（即排除任何喪失元本可能性的擔保）的當時利率來計量。凡是自己監督其資本使用的人，其所希望的利得，總要大於普通的利息，而且一般要大很多，也就是說，利潤率遠高於利息率。其超過部分，有一部分是冒風險的代價。當他以充分的擔保出借其資本的時候，幾乎或完全不冒風險。但是，如果他自負盈虧經營事業，則其資本的一部或全部，隨時都有喪失的危險，即其資本要冒相當的風險，往往風險還很大。對於這種風險，他必須得到補償。否則，他將不冒這種風險。他對於提供自己的時間和勞動，同樣必須要有報酬。產業的經營管理，往往是由供給全部或大部分資本而使事業得以進行的人擔任的。因此，按照通常的安排，他或者是事業成敗的唯一的利害關係人，或者是最大的（至少是直接的）利害關係人。如果其事業的規模宏大而複雜，為了有效地進行這種管理，就需要高度的勤勉，而且往往需要有非凡的手腕。這種勤勉和手腕，非有報酬不可。

資本的總利潤，即生產資金提供者的所得，必須符合以下三種目的，即對節欲給予足夠的補償，進行風險賠償，並償付實行監督所需勞動和手腕的報酬。這些不同的補償，有時是付給同一個人的，有時是付給不同的人的。資本，或某一部分資本，可能是從別人那裏借來的。這種借來的資本，其所有者不擔當經營上的風險或煩勞。這時，資本的出借者，或資本的所有者，是進行節欲的人。他獲得利息，以作為對其節欲的報酬，而利潤總額與此利息的差額，則是對企業家的努力和風險的報酬。又有時，資本，或一部分資本，是由所謂「隱名股東」提供的。這種人雖然不分擔經營上的煩勞，但承擔事業上的風險，因此，他們從總利潤中得到的不僅是利息，而且還包括契約所規定的一個份額。又有時，由一個人供給資本而且承擔風險，業務也完全用他的名義經營，至於管理上的煩勞，則由別人（為此目的而受雇並領取固定薪水的人）承擔。然而，這種雇來的人只關心維護自己的薪水，而不關心該事業的成敗。用這種人來從事管理，除非他們是在主要利害關係人的監視之下（縱使不在其直接控制之下）工作，否則，肯定是效率很低的。因此，對於不受如此控制的經理，分給一部分利潤作為報酬，通常確屬明智的措施。結果，在事實上，變成了「隱名股東」。最後是，同一個人，他既有資本，而又處理業務。此時，如果他願意，而且又有能力，他可進一步在其自己的資本之下，再讓其它那些信任他的資本所有者的資本參加經營。不過，這些方法不論哪一種，都有同樣的三件事情要求報酬，而此報酬則必須取自總利潤。這就是節欲、風險和努力。因此，利潤可分解為三部分，即利息、保險費和監督工資。

（節選自〔英〕約翰·穆勒著，趙榮潛等譯《政治經濟學原理及其在社會哲學上的若干運用》，商務印書館 1991 年版）

編選説明 ●●●

本篇選自約翰·穆勒《政治經濟學原理及其在社會哲學上的若干運用》，篇名為編者所加。約翰·穆勒（1806—1873），英國哲學家和經濟學家，19 世紀影響力很大的古典自由主義思想家。他的著作《政治經濟學原理及其在社會哲學上的若干應用》是第一本影響西方經濟學教育達半個世紀的教科書。在本篇中，作者把利潤分解為利息、保險費和監督工資三部分。雖然他把利息視為對資本所有者節欲的報酬並不準確，但是，他看到了職業經理人與資本所有者之間的目標衝突，是很有見地的。

斯坦利・傑文茲

效用的內涵及其變化的法則

快樂與痛苦是經濟學計算的究竟的對象。經濟學的問題，是以最小努力獲得欲望的最大滿足，以最小量的不欲物獲得最大量的可欲物，換言之，使快樂增至最高度。但我們且轉過來，注意那引起快樂和痛苦的物理對象或行為。任一社會的勞動，皆有極大部分用在普通生活必需品、便宜品，如食物、衣物、建築物、工具、傢俱、裝飾品等物的生產上。這諸種物品的總和便是我們注意的直接目標。

在此，我們應立即導入並界說幾個名詞，以便表示經濟學的原理。所謂商品，是指任一對象、任一實物、任一行為、任一勞務，能供吾人以快樂或使吾人避免痛苦者。這種名詞，原來是抽象的，指示一物的能為他人服務的性質。通常混用的結果，這個名詞已經取得一種具體的含義。我們就專門用這個名詞表示的這種含義罷。一物所以能為吾人服務而自成為一種商品的抽象性質，可另用效用這個名詞來指示。凡能引起快樂或避免痛苦的東西，都可以有效用。薩伊曾正確地、扼要地說：「效用是物品依某種方法服務於人類的能力。」止饑的食物、禦寒的衣服，都有無可懷疑的效用；但我們必留意，不由任何道德的考慮來限制這個名詞的意義。一物如為個人所欲望，且不惜勞苦以求取之，此物對於他必有效用無疑。在經濟學上我們不考慮人當如何，只考慮人是如何，邊沁在其偉著《道德與立法之原理》中建立道德科學的基礎時，曾綜合地界說這個名詞曰：「所謂效用，是指任一物的性質，該物因有此性質，故對於當事人，有種趨勢，可以產生利益、快樂、善或幸福——它們在此有相同的意義——或防止害、痛苦、惡或不幸的發生。」

……

效用雖是物的性質，但不是物固有的性質。不如說，效用是物的一種情況，其發生，乃因其與人的需要持有關係。西尼耳說得很對：「效用不指示我們所謂有用物的固有的性質，僅表示此物對人類的痛苦與快樂的關係。」所以我們不能絕對地說，某物有效用，某物則無。藏在礦山中的礦苗，不為探礦家發現的金剛石，無人收穫的小麥，未曾採集以供消費者欲望的果物，是一點效用也沒有的。最衛生最必要的食物，在沒有手去收集，沒有口去飲食的地方，也是無用的。細密的考察又說明了，同一商品的各部分不會有相等的效用。例如水，大概說，總是一切物質中最有用的一種物質罷。每日一誇特的水，可以有救活人命那樣高的效用。每日數加倫的水也可有煮飯洗衣那樣大的效用。但供此諸種用途的水已有適當的供給之後，其加量便是無關重要的了。所以，我們只能說，在一定點內，水是萬不可少的，其加量可以有程度不等的效用；但超過一定量後，其效用會漸減而等於零，甚至成為負數。那就是，同一物質的追加供給可以成為不便利的、有害的。

其它各種物品，在某程度內，亦可以這樣考慮。每日給一個人一磅麵包，可以使這個人不致餓死，故有最高的可想像的效用。再每日給他一磅麵包，這第二磅麵包亦有不少的效用；那雖不是萬不可少的，但可以在比較豐足的狀態下維持他。第三磅，便成了贅餘的了。所以，很明白，效用不與商品為比例；同是麵包，但其效用隨我們所已有的量的多寡而變化。其它物品也是這樣。每年一套衣服是必要的；第二套是方便的；第三套是可欲的；第四套亦不是我不受的。但遲早總會達到一點，到這點後，進一步的供給，僅為日後需用，故為我所欲望。

……

我們可定一般法則曰：效用程度隨商品量而變化，其量增加，其效用程度結局會減少。

（節選自〔英〕斯坦利・傑文茲著，郭大力譯《政治經濟學理論》，商務印書館 1984 年版）

編選說明 ●●●

本篇選自斯坦利・傑文茲《政治經濟學理論》，篇名為編者所加。斯坦利・傑文茲（1835—1882），英國經濟學家和邏輯學家，邊際效用學派的創始人之一，數理經濟學派早期代表人物。傑文茲和同時代的門格爾、瓦爾拉斯提出的邊際效用理論，開創了西方經濟學發展的新時代，在西方經濟學說史上被稱為邊際革命。《政治經濟學理論》是傑文茲的代表作。傑文茲以商品使用價值為基礎，提出一種以消費者心理變動為依據的主觀價值論——即「最後效用程度」價值論，雖然並不科學，但是，他對效用變化規律和商品交換條件的分析，為邊際效用理論的發展奠定了基礎。

弗·馮·維塞爾

邊際效用決定商品的價格

假設某人希望取得一件東西，不管他的欲望是多麼強烈，他也不肯照人家所討的隨便什麼價格來付款。這裏存在著一種最高限度，超過這個限度他寧願退出市場也不願進一步提高他的出價。這一最高限度取決於兩種估價：第一，所要取得的財物的使用價值；第二，必須付出的貨幣總額的交換價值。他的交換價值等於所想望財物的使用價值的貨幣總額，決定著最高出價。出價再高就要蒙受損失，因為所付出的價值要大於所收入的價值。這一規則毫無例外地同樣適用於所有願意購買的人。每一個想購買財物的人都把這兩種估價擺在自己面前，都在自己心目中建立起這種等式或等值，然後抱著超出這種等值就不要的決心來到市場。但是，這個規則雖然對一切當事人都是一樣的，其應用結果在個別情況下卻很不一致。因為參加計算的數量彼此差別很大。一個人所買的財物的使用價值，依個別需要的不同程度——這一程度可能決定於自然傾向、偶然情況或業已達到的滿足程度——和一個人所已有的供給數量而異。另一方面，貨幣的交換價值則主要依一個人的財富總額而異。當人們考慮到可能有的經濟情況的極大差別的時候，就可以看到：兩種價值的等式或等值從一個買主到另一個買主不能不有很大的差別。為最強烈的欲望所驅使而同時又是最富有的人，可能出最高的價錢，因為對他說來最高的實際價值是用最大的貨幣額來表示的。這跟窮人的出價有極大的不同。在窮人方面，相同的欲望程度是只用最微不足道的貨幣額來代表的。在某種場合，這又跟那些欲望很小的人的出價有極大的不同，他們只願以很小的金額來達到這種欲望的滿足。

如果我們從最高的等值開始，即從最富有而又渴望取得這些財物的人的等值開始，依次遞降到最低的等值，我們就會得到最高出價的遞降尺度。舉例來說，我們假定一百個買主所出的最高價格，其範圍為從 5 英鎊遞降到 1 先令：為了簡便起見，我們還首先假定每個買主只想買一件單個財物。

這裏我們能夠清楚地看到，必然決定著價格競爭的力量究竟是什麼。一個精明的賣主有時可能成功地誘使一個沒有經驗的買主支付超出他的最高限度的價格；但是，在通常情況下，賣主最多只能使買主的出價達到他們的最高限度。一個誠實的但是謀求自身利益並純粹根據自身利益來行事的賣主，他的企圖就是要在所有買主中間找到那些能夠出價最高的人，而且，要是有可能，迫使他們達到他們的購買力的邊際。反之，那些想要購買的人則企圖用他們的購買力邊際內盡可能低的價錢來購買。所以，買主之間的競爭有利於賣主，而賣主之間的競爭又有利於買主。我們現在就來看看每一方面有多大可能來達到自己的目的。仍像以前一樣，我們假定賣主不得不把他們帶到市場上去的財物全數脫手，他們並無把這些財物的任何部分保留下來供自己使用的意圖，因為這些財物是為了出售而生產出來的，對於賣主個人並無用處。

假設只有一件財物投入市場，如果所有的人對自身利益都同樣敏感，很明顯，這件財物必然落入那個有最高購買力的買主手中，即落入那個我們假定其貨幣等值為 5 英鎊的人手中。他處於使自己有可能排除所有參加競爭的買主的地位；如果他明白自己的利益所在，他就定會這樣做。自然，他必須下定決心支付多於 99 先令的價格，因為這是他的最危險的競爭對手，即那個購買力僅次於他的人所可能出的價格。可是，就他自己方面說，由於他不可能出比 100 先令更高的價格，於是價格就定在 99 先令和 100 先令之間。

再假設，投到市場去的財物是兩件，其中一件一定落入參加競爭的買主隊伍中的第一人之手，另一件則落入第二人之手。後者所付的價格，如果定得正確的話，一定在 99 先令和 98 先令之間，也就是說，在後者自己的等值和次一競爭者的等值之間；他出的價錢一定要超過他下面的這個競爭者，如果他不願為取得自己想得到的財物跟這個人發生爭論的話。但是，那個我們稱之為第一個買主的人，在這種情況下必然不肯再付比這更高的價格。現在他出的價格，已無必要再超過 99 先令；他只要跟第二個買主一起出價超過第三個買主所出的 98 先令就夠了。無論什麼人從公開市場上向競爭著的賣主購買同樣的財物，都只要付別人所付的同等價格。不論他本人的購買力有多大，他也無須把這種購買力用到它的極限；可以肯定，總有一個賣主願意讓他按市場上一般買主所出的同一最低價格來取得這件財物。

如果市場上有三件財物，這些財物就定要落到頭三個買主的手中，所有這三件財物的價格都要定在 98 先令和 97 先令之間，即定在第三個和第四個買主的貨幣等值之間。要是有十件財物，對所有買主定下的價格便在 91 先令和 90 先令之間；為了把所有的財物全部賣掉，賣主們必須使價格低於 91 先令，而為了排除別的競爭者，買主們又必須使價格高於 90 先令。有五十件財物時，價格將定在 51 先令和 50 先令之間，即相當於第 50 個和第 51 個買主的等值；有七十件財物時，價格將定在 31 先令和 30 先令之間，相當於第 70 個和第 71 個買主的等值。簡言之，必須拿來出售的一批財物數量愈大，價格就定要跌得愈低，因為這樣才能允許為數更多而能力較小的買主參加進來，而建立起來的市場價格對整個市場來說是一個相同的價格。我們如果把最弱的買主叫作邊際買主，要是整批財物想要全數售出，就仍然一定得允許這樣的買主來購買；於是價格定律將是這樣：無論什麼時候，價格都必須定在邊際買主的等值和在他下面的一個買主的等值之間，這下一個買主也就是被排除掉的買主中間具有最大購買力的那個買主。在商品大量湧入市場並且銷售量很大時，不同買主一更正確地我們應當把這些買主看作各類買主一的等值之間的差別程度是不大的。就這種情況來說，還可以把價格定律更簡單地——也是十分正確地——寫成：價格決定於當時的邊際買主或邊際一類買主的貨幣等值。價格定在很接近於這個等值的一個數字上，而且實際上稍稍低於這個等值。

（節選自〔奧〕弗・馮・維塞爾著，陳國慶譯《自然價值》，商務印書館 1982 年版）

編選說明 •••

本篇選自弗・馮・維塞爾《自然價值》，篇名為編者所加。弗・馮・維塞爾（1851—1926）是奧地利經濟學派早期的經濟學家。他在門格爾理論的基礎上，提出了「邊際」一詞，對完成邊際效用價值論起了重要的作用，並與他的老師門格爾等共同創建了奧地利學派。根據邊際效用遞減規律，消費者每增加一單位商品的消費所得到的效用增量不斷遞減，消費者願意支付的最高價格也隨之不斷遞減，因此，商品的價格由消費者消費最後一單位商品的邊際效用決定。這一結論，至今仍然是西方經濟學教科書中消費者行為理論的基本觀點。

熊彼特

企業家利潤（節選）

企業家利潤是一種超過成本的剩餘，從企業家的角度看，正如許多經濟學家所聲稱的那樣，它是一個企業的收入與支出之間的差額。儘管這一定義下得如此之膚淺，卻足以當做一個探討的起點。所謂「支出」，是指企業家在生產中的直接和間接支付。對此，還必須加上企業家花費的勞動所應得的適當工資；加上企業家自己擁有的土地的租金；最後，還要加上風險的額外酬金。另一方面，我並不堅持資本的利息應排除在這些成本之外。實際上，它應該包括在內。無論是以明顯的方式付出利息，還是——如果資本屬於企業家本人——按照如同付給企業家工資以及付給他所擁有的土地以租金的同樣核算方式處理……

根據對支出的上述定義，是否還含有超過成本的剩餘呢？看來可能值得懷疑。因此，論證有剩餘存在就是我們的首項任務。我們的解決辦法可以簡短地表述如下：在迴圈流轉中，一個企業的總收入（不包含壟斷因素的收入）剛好足夠與支出相抵。在該企業中，只有既不賺取利潤又不遭受虧損的生產者，他們的收入的特徵完全可以用「經營管理的工資」一詞來加以表述。如果有「發展」，肯定要有新的組合，它必然較之原先的組合更為有利，在此種情況下，總的收入將肯定大於總的成本。

事情於是成為這樣：如果在一個其紡織工業只用人工勞動的經濟體系中，有人看出了建立使用動力織機的企業的可能性，感到他足以克服創建這種企業的種種困難，並作出最終決定這樣幹。那麼，他首先需要有購買力。他從銀行借款來創辦他的企業。究竟是他自己來製造動力織機呢，還是他叫別的廠商按照他定下的規格來製造再由他來使用這些織機呢，倒是完全無關緊要的。如果一個工人用上這種織機就能每天生產手工工人日產量的6倍，那麼，顯然地，只要具備下述三個條件，這家企業就肯定會得到超過成本的剩餘，亦即收入大於支出之差。首先，當新的供應量上市時，產品必定不落價，或者即使落價，但其跌落程度卻不致使現在每個工人的較大產量所帶來的收益大於原先手工工人的較小產量所帶來的收益。其次，動力織機的每日成本必須或則低於裁減了的五名工人的工資；或則低於減去可能的產品價格下跌數額，再減去開機器所需的一名工人的工資之後的產值餘額。第三個條件是對其它兩個條件的補充。那兩個條件，包括看管織機的工人的工資，以及為購置織機所支付的工資與地租。到目前為止，我們假設這些工資和地租的行情處於企業家想出計劃要使用動力織機之前的狀態。如果他的需求相對地小，這樣假設是完全可以的。但如果不是這樣，那麼，使用勞動力和土地的價格就會由於新的需求而上漲。其它的紡織企業初時仍然繼續生產，從而必需的生產手段還不致於直接地加以縮減；但對整個紡織工業來說，則一般是要加以縮減的。這是因為生產手段的價格會上漲。因此，實行革新的企業家必須預見並估計到他出現後生產品市價的上漲，從而在他的核計中也許不只是按原先的工資和地租來計算，而必須再加上一個適當的數額，為此要減去的項目裏還有一個第三項。只有把所有這三種變化都考慮進去而做到收入超過支出時，才會有超過成本的剩餘。

……

現在要問：這個剩餘落入誰手呢？顯然是落入把織機引入到迴圈流轉的那些人手裏；而不是落入單純的發明家，也不是落入單純的（織機）製造者或使用者手裏，那些按定單承造織機的人將會只獲得成本價格；那些根據產品說明書來使用織機的人，初時買織機所付代價甚昂，以致幾乎得不到什麼利潤。利潤將歸屬於那些成功地把織機引入到產業的人們，不管他們是製造並使用織機，還是只製造或只使用織機，都無關緊要。在我們所舉的例子中，首要問題在於採用，但採用還不是問題的根本所在。把動力織機引進產業，是靠創辦新企業來實現的，無論創辦新企業是為了生產新織機，還是為了採用新織機，或者兩者兼而有之。我們所考慮的企業家在創辦新企業時所作的貢獻是什麼呢？無它，只是意志與行動。他們並不是以具體的商品來作貢獻，因為商品是買來的——或者從別的企業買來的，或者從他們自己的企業買來的；也並不是以他們擁有用以購買織機的購買力來作貢獻，因為他們的購買力是從別人那裏借得來的，或者，如果我們考慮到先前時期的獲得額，也可說是從他們自己那裏借得來的。那麼，他們的成就究竟何在呢？他們並未積纍任何種類的商品，他們並未首創任何獨特的生產手段，而只是與眾不同地，更適當地，更有利地運用了現存的生產手段。他們「實現了新的組合」。他們就是企業家。他們的利潤，即我們所談到的剩餘，對此沒有相應承擔什麼義務，就是一種企業家利潤。

（節選自〔美〕約瑟夫·熊彼特著，何畏、易夢虹譯《經濟發展理論》，商務印書館 1991 年版）

編選說明 ●●●

本篇選自約瑟夫·熊彼特《經濟發展理論》。約瑟夫·A·熊彼特（1883—1950），美籍奧地利經濟學家，他以「創新理論」解釋資本主義的本質特徵及其發生、發展和趨於滅亡的結局而聞名於經濟學界。《經濟發展理論》是他早期成名之作。熊彼特認為，企業家是資本主義的「靈魂」，其職能就是實現「創新」，引進「新組合」，只有在實現了「創新」的情況下，才存在企業家，才會產生企業總收入超過其總支出的餘額——企業家利潤。這是企業家由於實現創新或生產要素的「新組合」而應得的合理報酬。

西蒙・庫茲涅茨

收入分配的變化趨勢

第一，在國民總產值中，作為居民要素份額，以其勞動或基本參與生產過程的直接報酬形式的分配收入所佔比例有所下降，很可能從19世紀中葉的85%~90%下降為近年來的75%，以資本耗費、間接稅減補貼以及稅前和支付個人之後的公司收入形式直接流向非個人組織如政府及公共或私人公司的收入份額都有所增加。另一方面，居民收入被自政府或企業的轉讓以及被政府的直接勞務支撐著，尤其是政府直接提供的勞務，它從19世紀中葉只占國民總產值的幾個百分點上陞到近年來的10%到15%之間。這一多種趨勢的組合反映了以公司和政府愈益參與經濟活動為特徵的、發達經濟中不斷變化的組織結構。

第二，國民收入中財產收入的比例（不包括個體業主的財產），19世紀中期為20%到40%之間，經過一段很長時期的穩定或微弱的上陞後，已經下降——有些國家開始於第一次世界大戰以後的時期，另一些國家則開始於第二次世界大戰——現在為20%或者更低。更為顯而易見的是資本收入，包括個體業主的財產收入，份額的下降，幾乎從50%下降到20%左右——儘管在將業主收入分割為勞動收入和財產收入兩部分時包含了許多主觀臆斷的成分。

第三，與要素收入中資本份額下降相對應，勞動份額的上陞可以歸結為勞動者訓練和教育投資的增加、未能確切反映在不變價格計算的國民產值中的實際生活費用的增加以及由增殖效率（超出可計算的非投入即資本和勞動投入的部分，考慮了與教育水準和熟練程度提高相聯繫的勞動品質提高）產生的歸入勞動部分收入的增加等因素。

第四，在所考察的時期內，個人和家庭之間不同水準的收入分配差距在經過第一次世界大戰前的長期穩定或輕微擴大後，開始顯著縮小。如果充分考慮直接稅和政府的各種轉讓及勞務的增加引起的分配變動，這種差距的縮小將更為明顯。由於人均實際收入幾乎與人均國民總產值以同樣高的速度提高，因此收入不平等縮小的趨勢意味著低收入階層的實際收入比高收入階層的實際收入增長更快。

對上面這些結論必須進一步地作一點聲明：所使用的資料只涉及目前發達國家增長的後期階段，沒有充分涉及早期階段，而這些國家的早期階段有可能並不以資本收入份額的下降趨勢和收入水準分配不平等的縮小趨勢為特徵。我們只能推測這些時期內財產收入份額及不同階層收入分配差距的變動情況。

（節選自〔美〕西蒙·庫茲涅茨著，戴睿等譯《現代經濟增長》，北京經濟學院出版社 1989 年版）

編選說明 ●●●

西蒙·庫茲涅茨（1901—1985），俄裔美國著名經濟學家，長期致力於各國經濟統計資料的收集、整理、比較和分析，是經驗統計學派的主要代表人物。由於庫茲涅茨在研究人口發展趨勢及人口結構對經濟增長和收入分配關係方面作出的巨大貢獻，1971 年他被授予諾貝爾經濟學獎。其主要代表作有《國民收入及其構成》《現代經濟增長》等。在本篇中，作者分析了國民收入中勞動、資本所佔份額以及個人和家庭之間收入分配差距等方面的變化趨勢。在收入分配變化趨勢的研究中，庫茲涅茨提出的隨著經濟增長，收入分配差距呈倒 U 型的趨勢，是經濟學界一直以來倍受爭論的研究課題。

亞瑟・奧肯

機會平等會帶來收入的平等

我堅信，更大的機會均等會帶來更大的收入平等。當然這並不是一種邏輯的必然，人們可以設想出相反的例子。假設，有繼承特許權的家庭的遺產，主要地扶持了那些不然會滯留在下層的繼承人進入中等收入階層（但對那些靠自己力量進入中層或上層的人並無助益）。同樣，假設不利條件家庭所承受的沉重的負擔，拖住了那些不然會升入最高階層的人，使他們停留在靠近中等階層的地方。在這樣的情形下，機會不均等可以起到減少收入不平等的作用。然而這是些不切實際的假設。可能在現實世界中，遺產既幫助富人愚笨的後代，也幫助有能耐的人；同樣，沉重的負擔拖住了不利條件家庭的所有孩子，使擦洗汽車的工人不可能成為中等收入的員警，就像員警不可能成為高等收入的醫生一樣。在這樣的情形下，機會的不均等肯定增加收入的不均等。

即使完全撇開對於收入平等和效率的作用，機會均等本身也是一種價值。一場比較公平的賽跑，大概是值得想望的。這樣提問題是引人注意的，即如果機會均等與收入平等發生矛盾，二者可以在怎樣的比例交替換位。這樣的問題測試著比賽的公正與公平對待輸贏雙方的相對重要性。顯然這兩方面都是重要的。不合理的獎勵和懲罰是不能忍受的，縱使它們是在公平的賽跑中產生。即使擊劍比賽是公平的，也不致於野蠻到把輸方拿去喂獅子。另一方面，奧林匹克比賽的輸方垂頭喪氣、兩手空空地回家，這倒確實像是公平的。由於機會均等和收入平等一般總是互補的，而不是互相競爭的對象，這樣的結局使人們的精神得以放鬆。這就是一種在現實世界中不感到嚴重地煩惱的抉擇。

我也堅信，更大的機會均等會產生更大的一代又一代的社會變動性。如果家庭有利條件的影響減少了，減少的一定是兒女們在收入上對父母的依賴，就像我已經討論過的那樣。公平賽跑將會產生英才的世襲等級制度，這個幽靈最近已經復活了。我認為它是牽強的。如果其中有任何必然聯繫的話，那個論點肯定建立於這種推測之上：開動起來的市場更精確地獎勵能力，將消除現今收入分配中的彩票因素，而且將出現真正世襲的一代又一代賺取最高獎勵的英才。這樣的推測完全不能被證據所證實。

也沒有證據或可能的合理性來證實這樣一種推測，即更大的機會均等會增加市場裁決中智商差別的重要性。倒是有許多充分的理由可以說明為什麼智商——與學歷有明顯區別——在市場的報酬上只有如此之小的份量，這反映了才能和努力的極大變動性。為什麼人人都希望在一切合理的提拔制度和職業評價中，由智商差別來決定商業、政治及大多數職業的等級。只有在學術等級中，智商才可能趨於起決定作用——因為一部分測試是對學術研究能力的預測。對智商的強調是知識分子自我陶醉的一種特有形式，幸運的是在市場中還沒有與之相應的對手。

促進機會均等的努力，自然會接受一種個人主義的、成就導向的、必不可少的競爭經濟，在這種經濟中，將繼續存在獎勵的獲得與等級的變動。另一方面，有些人認為現代社會的競賽是違反人性的耗子賽跑，他們的目標不是使比賽更公平，而是要取消比賽。他們希望少一些賽跑，多一些互助友愛的跳舞。實現競爭與合作混合體中的某些轉變，是完全值得的。然而一種降低競爭重要性的大前提，意味著摒棄個人主義的刺激，結果不是極大地犧牲效率，就是犧牲創造其它可選擇的刺激制度。大概人們工作和生產的動機是為人類服務，是由一種四海之內皆兄弟的愛而引發的。然而不斷得到證明的卻是，這樣一種精神可以感動凡人，卻恰恰不能感動聖人。經過適當的灌輸，可以誘使人們為國家或國家領導人的更偉大的光榮而工作。然而，能反映出傳統價值觀的是，大多數美國人寧可為他們自己的獎勵參加比賽，而不願為他們領袖的光榮跑腿。

最後，我堅信更大的機會均等並不必然產生更多的挫折。某些保守主義者警告我們：「不用試，你不會喜歡它的。」照他們看來，如果收入的差別完全來自能力和技術的差別，失敗者只能抱怨自己，而且他們還會比以前更倒楣。不利條件和不公正，給了失敗者需要的為失敗辯解的藉口。

（節選自〔美〕亞瑟．奧肯著，王奔洲譯《平等與效率——重大的抉擇》，華夏出版社 1987 年版）

編選説明 ●●●

本篇選自亞瑟·奧肯《平等與效率——重大的抉擇》，篇名為編者所加。亞瑟·奧肯（1928—1980），美國經濟學家，曾於 1962 年提出了著名的「奧肯定律」，代表作有《平等與效率——重大的抉擇》《繁榮政治經濟學》等。作者在本篇中論述了機會平等在縮小收入差距中的重要性，認為，更大的機會平等會帶來收入的更大平等；同時，作者也強調競爭的重要性，認為沒有競爭將極大地犧牲效率。

加裏·貝克爾

人力資本的收益率

只有在預期收益率大於無風險資產利息率與同投資相關的流動偏好的風險報酬之和時，一個有知識、有理智的人才會投資。對於「純」利息率本來不用多說了，但是為了說明風險與流動偏好問題還要多說幾句。因為人力資本是一種非常不能流動的資產——它不能出賣而且很少作為貨款的擔保——所以，與這種資本相關的是正的（也許還是相當大的）流動偏好報酬。

人力資本的實際收益圍繞著預期收益變動，這是因為某些因素的不確定性。壽命的長短總是相當不確定的，這是決定收益的一個重要因素。人們也不能確定他們的能力，特別是對進行了大量投資的年輕人來說更是如此。此外，一個年齡與能力既定的人的收益也是不確定的，因為還有許多無法預料的事情。得到一筆人力資本投資的收益要很長時間，這就減少了可獲得的知識，因為在能得到收益的條件下才要求獲得知識，而且投資與收益之間的平均時期越長，所能得到的這種知識就越小。

我所作的有根據的觀察和計算表明，人力資本的收益有許多不確定性。對這種不確性的反應取決於不確定性的多少與性質以及人們嗜好與態度。許多人認為，人力資本投資者的態度與物質資本投資者的態度的是很不同的，因為前者一般都比較年輕，而年輕人總被認為特別易於過高估計自己的能力與機遇。如果這種看法是正確的，那麼對於那些有特殊能力或幸運的人來說，可能提供大量收益的人力投資比只能提供較少收益的物質投資就更富有吸引力。但是，「生命周期」理論對風險的態度的解釋並不比它對人力資本的投資者都比較年輕的解釋更有用或更必要，實際上也已經出現了另一種解釋，這種解釋把它作為對大量收入的反應。

……

如果投資決策只是對收入前景的反應，並按風險和流動偏好進行調整，那麼對所有的投資來說，調整過的邊際收益率應該是相等的。但是，教育、培訓、遷移、保健和其它人力資本的收益率應該高於非人力資本，這是因為人力資本提供資金的困難性和並不完全瞭解投資的機會。

（節選自〔美〕加裏・S.貝克爾著，梁小民譯《人力資本》，北京大學出版社 1987 年版）

編選說明 ●●●

本篇選自加裏・S.貝克爾《人力資本》，篇名為編者所加。加裏・S.貝克爾（1930—），美國的經濟學家和社會學家。貝克爾的突出貢獻是把經濟理論擴展到對人類行為的研究，開闢了一個以前只是社會學家、人類學家和心理學家關心的研究領域，大大拓展了經濟學的視野，豐富了經濟學的內容，因此，他獲得了「理論創新者」的美名和 1992 年的諾貝爾經濟學獎。他的主要著作有《歧視經濟學》《生育率的經濟分析》《人力資本》《人類行為的經濟學分析》和《家庭論》等。大量的實證研究表明，人力資本投資、特別是教育投資具有比實物投資更高的收益率。但是，人力資本為什麼會有更高的收益率呢？貝克爾在本篇中為我們進行了通俗的解釋，即人力資本的收益具有很大的不確定性以及人力資本提供資金的困難性等。

司馬遷

貨殖列傳序

老子曰：「至治之極，鄰國相望，雞狗之聲相聞，民各甘其食，美其服，安其俗，樂其業，至老死不相往來。」必用此為務，挽近世塗民耳目，則幾無行矣。

太史公曰：夫神農以前，吾不知已。至若詩書所述虞夏以來，耳目欲極聲色之好，口欲窮芻豢之味，身安逸樂，而心誇矜勢能之榮。使俗之漸民久矣，雖戶說以眇論，終不能化。故善者因之，其次利道之，其次教誨之，其次整齊之，最下者與之爭。

夫山西饒材、竹、穀、、旄、玉石；山東多魚、鹽、漆、絲、聲色；江南出　、梓、姜、桂、金、錫、連、丹沙、犀、玳瑁、珠璣、齒革；龍門、碣石北多馬、牛、羊、旃裘、筋角；銅、鐵則千里往往山出棋置：此其大較也。皆中國人民所喜好，謠俗被服飲食奉生送死之具也。故待農而食之，虞而出之，工而成之，商而通之。此寧有政教發徵期會哉？人各任其能，竭其力，以得所欲。故物賤之徵貴，貴之徵賤，各勸其業，樂其事，若水之趨下，日夜無休時，不召而自來，不求而民出之。豈非道之所符，而自然之驗邪？

周書曰：「農不出則乏其食，工不出則乏其事，商不出則三寶絕，虞不出則財匱少。」財匱少而山澤不闢矣。此四者，民所衣食之原也。原大則饒，原小則鮮。上則富國，下則富家。貧富之道，莫之奪予，而巧者有餘，拙者不足。故太公望封於營丘，地潟鹵，人民寡，於是太公勸其女功，極技巧，通魚鹽，則人物歸之，至而輻湊。故齊冠帶衣履天下，海岱之間斂袂而往朝焉。其後齊中衰，管子修之，設輕重九府，則桓公以霸，九合諸侯，一匡天下；而管氏亦有三歸，位在陪臣，富於列國之君。是以齊富強至於威、宣也。

故曰：「倉廩實而知禮節，衣食足而知榮辱。」禮生於有而廢於無。故君子富，好行其德；小人富，以適其力。淵深而魚生之，山深而獸往之，人富而仁義附焉。富者得勢益彰，失勢則客無所之，以而不樂。夷狄益甚。諺曰：「千金之子，不死於市。」此非空言也。故曰：「天下熙熙，皆為利來；天下壤壤，皆為利往。」夫千乘之王，萬家之侯，百室之君，尚猶患貧，而況匹夫編戶之民乎！

（節選自司馬遷著《史記》，中華書局 1982 年版）

編選說明 ●●●

本篇選自司馬遷《史記．貨殖列傳》。司馬遷（公元前 145 年—公元前 90 年），字子長，左馮翊夏陽（今陝西韓城南芝川鎮）人，西漢史學家、思想家、文學家。本篇是司馬遷重要的經濟著作，在經濟思想史具有重要的地位。他突破了先秦以來「重農抑商」的傳統觀點，認為社會經濟活動是不以人們意志為轉移的客觀過程，商業發展和經濟都市的出現是自然趨勢。肯定了工商業者追求物質利益的合理性與合法性；突出了物質財富的佔有量最終決定著人們的社會地位，而經濟的發展則關乎到國家盛衰等經濟思想和物質觀。主張任商人自由發展，引導他們積極進行生產與交換，國家不必強行干涉，更不要同他們爭利。

擴展閱讀 • • •

1. 杜爾哥：《關於財富的形成和分配的考察》，商務印書館 1961 年。
2. 李斯特：《政治經濟學的國民體系》，商務印書館 1961 年。
3. 門格爾：《國民經濟學原理》，上海人民出版社 1959 年。
4. 龐巴維克：《資本實證論》，商務印書館 1964 年。
6. 維克賽爾：《利息與價格》，商務印書館 1959 年。
7. 克拉克：《財富的分配》，商務印書館 1981 年。
8. 希克斯：《價值與資本》，商務印書館 1962 年。

二 ••• 發展篇

亞當・斯密

分工為什麼能夠提高勞動生產率

勞動生產力上最大增進以及運用勞動時所表現的更大的訓練、技巧和判斷力，似乎都是分工的結果。

……

有了分工，同數勞動者就能完成比過去多得多的工作量，其原因有三：第一，勞動者的技巧因業專而日進；第二，由一種工作轉到另一種工作，通常須損失不少時間，有了分工，就可以免除這種損失；第三，許多簡化勞動和縮減勞動的機械的發明，使一個人能夠做許多人的工作。

第一，勞動者熟練程度的增進，勢必增加他所能完成的工作量。分工實施的結果，各勞動者的業務，既然終生局限於一種單純操作，當然能夠大大增進自己的熟練程度。慣於使用鐵錘而不曾練習製鐵釘的普通鐵匠，一旦因特殊事故，必須制釘時，我敢說，他一天至多只能做出二三百枚釘來，而且品質還拙劣不堪。即使慣於制釘，但若不以制釘為主業或專業，就是竭力工作，也不會一天製造出八百或一千枚以上。我看見過幾個專以制釘為業的不滿二十歲的青年人，在盡力工作時，每人每日能製造二千三百多枚。可是，制釘決不是最簡單的操作。同一勞動者，要鼓爐、調整火力，要燒鐵揮錘打製，在打製釘頭時還得調換工具。比較起來，制扣針和制金屬紐扣所需的各項操作要簡單得多，而以此為終生業務的人，其熟練程度通常也高得多。所以，在此等製造業中，有幾種操作的迅速程度簡直使人難以想像，如果你不曾親眼見過，你絕不會相信人的手能有這樣大的本領。

第二，由一種工作轉到另一種工作，常要損失一些時間，因節省這種時間而得到的利益，比我們驟看到時所想像的大得多。不可能很快地從一種工作轉到使用完全不相同工具而且在不同地方進行的另一種工作。耕作小農地的鄉村織工，由織機轉到耕地，又由耕地轉到織機，一定要虛費許多時間。誠然，這兩種技藝，如果能在同一廠坊內進行，那麼時間上的損失，無疑要少得多，但即使如此，損失還是很大。人由一種工作轉到另一種工作時，通常要閒逛一會兒。在開始新工作之初，勢難立即全神貫注地積極工作，總不免心不在焉。而且在相當時間內，與其說他是在工作，倒不如說他是在開玩笑。閒蕩、偷懶、隨便這種種習慣，對於每半小時要換一次工作和工具，而且一生中幾乎每天必須從事二十項不同工作的農村勞動者，可說是自然會養成的，甚而可說必然會養成的。這種種習慣，使農村勞動者常流於遲緩懶惰，即在非常吃緊的時候，也不會精神勃勃地幹。所以，縱使沒有技巧方面的缺陷，僅僅這些習慣也一定會大大減少他所能完成的工作量。

第三，利用適當的機械能在什麼程度上簡化勞動和節省勞動，這必定是大家都知道的，無須舉例。我在這裏所要說的只是：簡化勞動和節省勞動的那些機械的發明，看來也是起因於分工。人類把注意力集中在單一事物上，比把注意力分散在許多種事物上，更能發現達到目標的更簡易更便利的方法。分工的結果，各個人的全部注意力自然會傾注在一種簡單事物上。所以只要工作性質上還有改良的餘地，各個勞動部門所雇的勞動者中，不久自會有人發現一些比較容易而便利的方法，來完成他們各自的工作。唯其如此，用在今日分工最細密的各種製造業上的機械，有很大部分，原是普通工人的發明。他們從事於最單純的操作，當然會發明比較便易的操作方法。否認是誰，只要他常去觀察製造廠，他一定會看到極像樣的機械，這些機械是普通工人為了要使他們擔當的那部分工作容易迅速地完成而發明出來的。

可是，一切機械的改良，絕不是全由機械使用者發明。有許多改良，是出自專門機械製造師的智巧；還有一些改良，是出自哲學家或思想家的智慧。哲學家或思想家的任務，不在於製造任何實物，而在於觀察一切事物，所以他們常常能夠結合利用各種完全沒有關係而且極不類似的物力。隨著社會的進步，哲學或推想也像其它各種職業那樣，成為某一特定階級人民的主要業務和專門工作。此外，這種業務或工作，也像其它職業那樣，分成了許多部門，每個部門，又各成為一種哲學家的行業。哲學上這種分工，像產業上的分工那樣，增進了技巧，並節省了時間。各人擅長各人的特殊工作，不但增加全體的成就，而且大大增進科學的內容。

在一個政治修明的社會裏，造成普及到最下層人民的那種普遍富裕情況的，是各行各業的產量由於分工而大增。各勞動者，除自身所需要的以外，還有大量產物可以出賣；同時，因為一切其它勞動者的處境相同，各個人都能以自身生產的大量產物，換得其它勞動者生產的大量產物，換言之，都能換得其它勞動者大量產物的價格。別人所需的物品，他能與以充分供給；他自身所需的，別人亦能與以充分供給。於是，社會各階級普遍富裕。

（節選自〔英〕亞當・斯密著，郭大力、王亞南譯《國民財富的性質和原因的研究》，上，商務印書館 1972 年版）

編選說明 ●●●

本篇選自亞當・斯密《國民財富的性質和原因的研究》（上），篇名為編者所加。作者在本篇詳細地論述了分工之所以能夠提高勞動生產率的原因。並由此認為分工能夠帶來產量的增加，是經濟增長的源泉之一。

李斯特

民族精神與國家經濟（節選）

從經濟方面看來，國家都必須經過如下各發展階段：原始未開化時期，畜牧時期，農業時期，農工業時期，農工商業時期。

當一個國家由未開化階段轉入畜牧、轉入農業、進而轉入工業與海運事業的初期發展階段時，實現這種轉變的最迅速有利的方法是對先進的城市和國家進行自由貿易，但是要使工業、海運業、國外貿易獲得真正大規模發展，就只有依靠國家力量的干預，才能實現。各國工業發展的經過都可以作證，尤其是英國的歷史，格外清楚地證明了這一點。

一個國家，其農業愈不發達，愈沒有機會把自己的剩餘農產品通過國外貿易換取外國工業品，在未開化程度上陷得愈深，只宜實行君主專制政體和法制，這時如果實行自由貿易（即輸出農產品、輸入工業品），也就格外能起到促進繁榮與文化的作用。

另一方面，一個國家在農業、工業、社會、政治、內政上已經有了充分的發展，而仍然以農產品與原料向國外交換工業品，那麼它在這些方面的發展程度愈高，通過國外貿易在改進國內社會狀況方面所得的利益將愈少，在此先進的工業國家對它的優勢競爭中它所受到的損害也愈大。

就後一類國家來說，它們已經具備一切精神上和物質上的必要條件和手段，可以把自己建成工業國家，從而在文化、物質繁榮和政治力量各方面達到高度發展，只是由於還存在著一個比它們更先進的工業國家的競爭力量，使它們在前進道路上受到了阻礙——只有處於這樣情況下的國家，才有理由實行商業限制以便建立並保護它們自己的工業；即使就這類國家來說，也只有當它們的工業已經有了相當力量，已經沒有任何理由害怕國外競爭，從而有從根本上來保護國內工業的必要時，才值得實行這種保護制度。

……

實行保護制度時也並不是沒有步驟的，如果一上來就完全排除國外競爭，使處於這樣制度下的國家同別的國家完全隔離，那麼這樣的制度不但與世界主義經濟原則相反，而且也與正確理解下的國家本身利益相違背。如果要加以保護的那個工業國還處於發展初期，保護關稅在開始時就必須定得相當輕微，然後隨著國家的精神與物質資本以及技術能力與進取精神的增長而逐漸提高。工業的不同部門也並不是一定要在同樣程度上受到保護的；應當予以特別注意的只是那些最重要的部門。這裏所謂重要的工業部門，指的是建立與經營時需要大量資本、大規模機械設備、高度技術知識、豐富經驗以及為數眾多的工人，所生產的是最主要的生活必需品，因此按照它們的綜合價值來說，按照它們對國家獨立自主的關係來說，都有著頭等重要意義的工業，例如棉、毛、麻等紡織業就屬於這一類。如果這些主要部門能夠在適當保護下獲得發展，工業中其它次要部門就可以圍繞著它們在較低度的保護下成長起來。有些國家，工資標準很高，領土廣大，而人口還沒有獲得與幅員相稱的發展，比如美國就是一個典型例子；像這樣的國家，如果從別的國家輸入工業品時能夠自由地用它們的農產品相交換，那麼對於主要不以機器來進行生產的那些工業可以給予較少的保護，而以主要用機器來生產的那些工業作為保護的主要對象，這樣的辦法對它們比較有利。

流行學派認為像這樣的國家，用農產品向國外交換工業品與自己建立工業，兩者同樣可以促進文化與物質生活的發展，尤其是社會進步；這樣對國家經濟的性質就完全陷入了誤解。一個單純的農業國家，決不能使它的國內和國外貿易、內地運輸設備以及國外航運獲得充分的發展，決不能使人口隨著生活的提高而相應地增加，在道德、智力、社會與政治各方面也決不能獲得顯著的進展；這樣一個國家決不能獲得重大的政治勢力，對於落後國家的教化和進步也決不能居於能夠有所影響的地位從而造成自己的殖民地。一個單純的農業國家與一個工、農業都發達的國家比較起來，就制度的完備來說，不知要相差多少。前者對於用工業品向它交換農產品的那些國家，在經濟上、政治上總是要或多或少處於從屬地位的，它要生產多少，自己不能決定，必須看著別的國家的眼色，要看別的國家願意向它購入多少而定。至於後者，也就是那些工農業同時並進的國家，情形卻相反，它們自己也生產大量原料和糧食，只是除由自己供應以外還感到不足的部分，才由純農業國輸入。因此就純農業國所處的地位來說，首先它的農產有效銷售量勢必要看工農業國家收成的豐歉來決定，其次在銷售中還勢必要同別的純農業國相競爭。這就是說，銷售情況本身原已很少穩定成分，由於競爭勢力的存在，就更加處於搖晃不定的地位。最後農業國對工業國的貿易關係還有遭到全部被破壞的危險，一旦發生了戰爭，或外國在關稅制度上有了新的設施，貿易的局面即將完全改觀，這時農業國一方面不能為自己的剩餘農產品找到買主，一方面眼見工業品的供應斷絕，勢必受到雙重打擊。我們在上面已經提過，將農業國比作個人時，這個人只有一隻膀子，還有一隻是向外人借用的，借來的是靠不住的，是不能隨時隨刻「如身之使臂」的；而工農業同時發展的國家卻是兩臂齊全的人，他的兩隻膀子是完全聽他自己使用的。

（節選自〔德〕弗里德里希・李斯特著，陳萬煦譯《政治經濟學的國民體系》，商務印書館 1981 年版）

編選說明

本篇節選自弗里德里希・李斯特《政治經濟學的國民體系》。弗里德里希・李斯特（1789—1846），德國經濟學家，是古典經濟學的懷疑者和批判者，德國歷史學派的先驅者。《政治經濟學的國民體系》是他的代表作。在本篇中，作者認為各國的經濟發展必須經歷原始未開發階段，畜牧業階段，農業階段，農業和製造業階段，農業、製造業和商業階段等 5 個階段，強調落後國家要根據自己的特殊國情及其所處的較低的發展階段以及特殊利益，對私人經濟實行干預，特別是當一國經濟實力處於擴張並且正在向農業和製造業或農業、製造業和商業並存的經濟強國轉變的關鍵時期，尤其需要借助於國家干預的力量，甚至認為這一時期的國家干預應當是有意識、有目的的，使本國的經濟發展趨於人為的方向。李斯特的學說主張，適應了當時德國經濟發展的需要，對德國經濟發展和騰飛產生了重要的影響。

馬歇爾

教育作為國家的投資（節選）

因此，我們可得出以下的結論：把公私資金用於教育之是否明智，不能單以它的直接結果來衡量。教育僅僅當作是一種投資，使大多數人有比他們自己通常能利用的大得多的機會，也將是有利的。因為，依靠這個手段，許多原來會默默無聞而死的人就能獲得發揮他們的潛在能力所需要的開端。而且，一個偉大的工業天才的經濟價值，足以抵償整個城市的教育費用；因為，像白塞麥的主要發明那樣的一種新思想之能增加英國的生產力，等於十萬人的勞動那樣多。醫學上的發明——像吉納或巴士特的發明那樣——能增進我們的健康和工作能力，以及像數學上或生物學上的科學研究工作，即使也許要經過許多代以後才能顯出增大物資福利的功效，它們對生產所給予的幫助，雖沒有前者那樣直接，但重要性是一樣的。在許多年中為大多數人舉辦高等教育所花的一切費用，如果能培養出像牛頓或達爾文、莎士比亞或貝多芬那樣的人，就足以得到補償了。

經濟學家對於實際問題中具有直接關心的，無過於關於在國家與父母之間應當怎樣分配兒童教育費用的原理的問題了。但是，不論父母負擔多少費用，我們現在必須考慮決定父母負擔這種費用一部分的力量和意志的各種條件。

大多數父母極願以他們自己的父母對待他們的，去對待自己的孩子；如果他們發現鄰人中可巧有標準較高的，則他們對待孩子也許甚至更好一點。但是，要父母對待孩子比這再進一步，則除了無私的道德品質和熱烈的情感——這兩點也許不是罕見的——之外，還需要某種精神上的習慣——這一點還不是很普通的。它要有清楚地預料未來和把遙遠的事件看作像與眼前的事件差不多有同樣重要性（就是以低的利率對未來加以折扣）的習慣；這種習慣是文明的主要產物，也是文明的主要原因，除了在較為文明的國家的中等和上層階級中之外，它是很少得到發展的。

（節選自〔英〕阿爾弗雷德·馬歇爾著，朱志泰譯《經濟學原理》，商務印書館 1981 年版）

編選説明 ●●●

本篇節選自馬歇爾《經濟學原理》。阿爾弗雷德·馬歇爾（1842—1924），19 世紀末 20 世紀初的英國及至世界最著名的經濟學家，英國劍橋學派的創始人。他於 1890 年發表的《經濟學原理》，被看作是與斯密《國民財富的原因及其性質》、李嘉圖《政治經濟學及其賦税原理》齊名的劃時代的著作，構成了現代經濟學的基礎。在本篇中，作者第一次把教育視為投資，論述了教育在經濟發展中的作用，為 20 世紀 50 年代人力資本投資經濟學的發展奠定理論了基礎。

熊彼特

發展就是執行新的組合

我們所指的「發展」只是經濟生活中並非從外部強加於它的，而是從內部自行發生的變化。如果情況是，在經濟領域本身中沒有這樣的變化發生，而我們所稱的經濟發展現象在實際上只不過是建立在這一事實之上，即資料在變化而經濟則繼續不斷地使自己適應於這種資料，那麼我們應當說，並沒有經濟發展。我們這樣說的意思應當是：經濟發展不是可以從經濟方面來加以解釋的現象；而經濟——在其本身中沒有發展——是被周圍世界中的變化在拖著走；為此，發展的原因，從而它的解釋，必須在經濟理論所描述的一類事實之外去尋找。

……

僅僅是經濟的增長，如人口和財富的增長所表明的，在這裏也不能稱作是發展過程。因為它沒有產生在質上是新的現象，而只有同一種適應過程，像在自然數據中的變化一樣。因為我們想要使我們的注意力轉向別的現象，我們將把這種增長看作是資料的變化。

……

生產意味著把我們所能支配的原材料和力量組合起來。生產其它的東西，或者用不同的方法生產相同的東西，意味著以不同的方式把這些原材料和力量組合起來。只要是當「新組合」最終可能通過小步驟的不斷調整從舊組合中產生的時候，那就肯定有變化，可能也有增長，但是卻既不產生新現象，也不產生我們所意味的發展。當情況不是如此，而新組合是間斷地出現的時候，那麼具有發展特點的現象就出現了。以後，為了便於說明，當我們談到生產手段的新組合時，我們指的只是後一種情況。因此，我們所說的發展，可以定義為執行新的組合。

這個概念包括下列五種情況：（1）採用一種新的產品——也就是消費者還不熟悉的產品——或一種產品的一種新的特性。（2）採用一種新的生產方法，也就是在有關的製造部門中尚未通過經驗檢定的方法，這種新的方法決不需要建立在科學上新的發現的基礎之上；並且，也可以存在於商業上處理一種產品的新的方式之中。（3）開闢一個新的市場，也就是有關國家的某一製造部門以前不曾進入的市場，不管這個市場以前是否存在過。（4）掠取或控制原材料或半製成品的一種新的供應來源，也不問這種來源是已經存在的，還是第一次創造出來的。（5）實現任何一種工業的新的組織，比如造成一種壟斷地位（例如通過「托拉斯化」），或打破一種壟斷地位。

現在有兩件事情，對於伴隨實現這種新組合而來的現象以及對於理解它所涉及的問題，是至關重要的。第一，新組合併不一定要由控制被新過程所代替的生產或商業過程的同一批人去執行，雖然這樣的情況也可能發生。相反，新組合通常可以說是體現在新的商號中，它們不是從舊商號裏產生的，而是在舊商號旁邊和它一起開始進行生產的。這裏，還是用我們已經選用過的例子來說明，那就是，一般說來，並不是驛路馬車的所有主去建造鐵路。這個事實，不僅使我們想要描述的過程所具有的特點即間斷性得到特別的說明，而且可以說是在上面提到的那種間斷性之外，創造了另一種間斷性，但它也說明了事態進程的重要特點。特別是在競爭性的經濟裏，新組合意味著對舊組合通過競爭而加以消滅，它一方面說明了個人和家庭在經濟上和社會上上陞和下降的過程（這是這種組織形式所特有的），同時也說明了一整個系列有關經濟周期、私人財產形成的機制等等其它的現象。在非交換經濟中，例如在社會主義經濟中，新組合也常常在舊組合的旁邊出現。但是這一事實的經濟後果將會在某種程度上消失，而其社會後果則將會完全消失。如果競爭性的經濟被巨大的聯合組織的增長所打破，像今天在所有國家日益增多的情況那樣，那麼這在現實生活中必然會變得越來越真實，而新組合的實現必然會在越來越大的程度上變成同一經濟實體的內部事情。這樣造成的差別，已經大到足以成為資本主義的社會歷史中兩個時代的分水嶺。

第二，我們必須注意的，而又只同這一要素有部分關係的是，每當我們牽涉到根本原則時，我們決不應假定，新組合的實現是通過使用閒置的生產手段來進行的。在實際生活中，情況常常是這樣。社會上總是存在有失業的工人，沒有售出的原料，沒有利用的生產能力，如此等等。這對於新組合的出現，肯定是一個有所幫助的環境，一個有利的條件，甚至是一種刺激；但是大量的失業卻只是非經濟事件——例如世界大戰——的後果，或者恰好是我們正在研究的發展的後果。無論在這兩種場合的那一種場合裏，它的存在都不能在我們的解釋中發揮根本的作用，並且它在我們由以開始的極度平衡的迴圈流轉中是不可能發生的。正常的年度增加也不能應付這種情況，首先因為這種增加會很小，其次還因為它通常會被迴圈流轉內部相應的生產擴大所吸收；如果我們承認這種增加，我們就必須把生產的相應擴大設想為已經調整到了這種增長速度的。一般說來，新組合必須從某些舊組合獲得必要的生產手段——由於我們已經提到的理由，我們將假定，新組合總是這樣作的，以便使我們所認為的主要輪廓線更加形象突出。因此，新組合的實現只是意味著對經濟體系中現有生產手段的供應作不同的使用——這可能為我們所說的發展提供第二個定義。

（節選自〔美〕約瑟夫·熊彼特著，何畏等譯《經濟發展理論》，商務印書館 1991 年版）

編選說明 •••

本篇選自約瑟夫·熊彼特《經濟發展理論》，篇名為編者所加。創新理論是熊彼特經濟發展理論的核心，也是《經濟發展理論》一書中最具特色的和引人注目的觀點。他認為，發展就是創新，創新是「建立一種新的生產函數」，把一種從來沒有過的關於生產要素和生產條件的「新組合」引入生產體系。並以此來解釋資本主義的本質特徵及其發生、發展和趨於滅亡的結局。熊彼特對經濟發展理論的開創性論述，當時曾轟動西方經濟學界，並一直享有盛名。

岡納・繆爾達爾

使用先進技術一定能促進經濟增長嗎？

技術知識的增長的有效性大大幫助了西方後來的發展者。但是，先進技術並不必然對今天的後來者同樣有益。經常有這種情況：從使用先進技術中增加的產量遠遠超過了有限的國內市場的吸收能力。當人們考慮到不存在地區合作以及一般沒有前途的製成品出口前景時，這一點變得更重要。

現代技術涉及的進一步的問題是，它需要大量的初始投資。由於當今技術主要是勞動稀缺、資本相對豐裕經濟中的產物，它往往是節約勞動和資本密集型的。因此，其中許多可能超過了該地區非常貧窮、資本匱乏經濟的資力。即使這種挑戰能夠克服，現代技術也需要比西方早期必需的更多運輸和動力投資。

南亞技能短缺是進步的根本障礙，是推向較高技術水準的另一個主要困難。毫無疑問的是，現在考慮最少的，是對於成功經營現代工業企業所必需的管理人員、技術人員及工人的教育水準比西方工業化早期要高得多。

雖然工業化無疑對長期發展具有決定性意義，但南亞各國更直接的問題是農業。而在這方面，對南亞來說，應用現代技術甚至更加困難。在西方農業中，技術之目的在於提高收益，而農業中的勞動一直在減少。這種格局完全不適合南亞的情況。

南亞企業家和政府可能確實能夠獲得比西方前工業革命時期更優越得多的技術。但是，重要的是，西方正迅速地邁向高得多的技術與科學成就水準。而這只在很小程度上幫助了南亞。大多數經濟學論著掩蓋了一個明顯的事實：西方的這種進步已經並且正在對南亞的發展前景產生不利影響。西方進步著的技術已經引起了南亞國家貿易狀況的惡化。它已經提高了農業生產力，結果減少了工業生產中使用的南亞原材料。它還允許合成材料，如合成橡膠替代南亞的產品。西方醫學科學的進步已降低了南亞的死亡率，促成了這一地區的人口爆炸。西方科學和技術的進步也已把管理人員和技術人員所需要的教育水準提高到比西方工業化早期所需要的更高的水準。科學和技術進步的這些特殊作用當然被記錄下來了，但是並沒有得出一般結論。

科學和技術進步的限制當然是微不足道的，但它對南亞的不利影響能夠由旨在解決這一地區問題的更多研究所抵銷。這可能是發達國家的另一類援助：比以前所給予的或現在考慮的技術援助更大規模的援助。這種研究工作一定要加強，並且方向正確。否則，技術進步的動力將對不發達國家產生更加不利的作用，增加它們的困難，並降低它們的發展潛力。

當我們認識到，現在的發達國家如此迅速的技術進步可望在將來進展得更快的時候，才能領會前述觀察現象的真正意義。在工業革命前，西方發展開始時變化並不快，過高估計西方國家早期發展中漸進的重要性是困難的。西方所有的重大「革命」——宗教、智力、地理、甚至政治的（鞏固的民族國家的出現）——都發生在工業革命很久以前。它們緩慢地進行，西歐經歷了幾個世紀才習慣於變革，並準備變革。所以，變革、適應和流動的觀念，是在西方人習慣於他們今天生活於其中的那種「持久的工業革命」之後，才作為一種生活方式被逐步接受的。

人們一般認識到，科學和技術的進步是這種漸進發展的結果，同時又是其推動力量。除了非常有限的次要領域之外，不發達國家不可能以同樣方式實現它們的抱負。現代科學技術對它們來說幾乎完全是來自外部的力量。

（節選自〔瑞典〕岡納 · 繆爾達爾著，譚力文、張衛東譯《亞洲的戲劇——對一些國家貧困問題的研究》，北京經濟學院出版社 1992 年版）

編選説明 ● ● ●

本篇選自岡納 · 繆爾達爾《亞洲的戲劇——對一些國家貧困問題的研究》，篇名為編者所加。岡納 · 繆爾達爾（1898—1987），瑞典經濟學家，瑞典學派的創建人之一，新制度主義學派的代表人物。1974 年，由於在貨幣和經濟波動理論方面的開創性貢獻以及對經濟的、社會的和制度現象的內在依賴性進行的精闢分析，岡納 · 繆爾達爾榮獲諾貝爾經濟學獎。自 1957 年開始，繆爾達爾對南亞和東南亞的政治經濟問題進行了長達 10 年的研究，出版了三卷本巨著《亞洲的戲劇：對一些國家貧困問題研究》，對南亞的不發達國家進行了詳盡的分析。《世界貧困的挑戰：世界反貧困大綱》是《亞洲的戲劇》

之續篇。是繆爾達爾經過對南亞、東南亞地區 10 年的調查研究後寫成的，被西方學術界譽為不朽之作。在本篇中，繆爾達爾認為，對於南亞這些不發達國家來說，雖然可以通過引進的方式使用發達國家的先進技術，但是，由於不發達國家存在的市場、資金、人才等問題，因此，先進技術的使用並不一定能夠實現經濟增長。這一觀點已經在理論和實踐上都得到了證實。

岡納・繆爾達爾

不平等是對發展的限制和障礙

不發達世界絕大多數的社會和經濟的分層是不平等而僵硬的，儘管在幾個國家程度各不相同。除了極少的例外——南亞的錫蘭（今斯里蘭卡）也許是一個——經濟的不平等近來似乎正在加劇。平等問題在不發達國家的發展問題中處於中心位置，不平等與所有社會和經濟關係相連。

……

我得出的結論是，不平等及其加劇的趨勢成為對發展的限制與障礙的複合體，因此，迫切需要扭轉這一趨勢，創造更大的平等，作為加速發展的一個條件。

……

大部分的西方經濟學家傳統上與此相反，都假定在經濟發展與平等改革之間有衝突。他們理所當然地認為改革必須付出代價，而窮國常常是承擔不起這種代價的。

……

在這些貧困國家，居於優先地位的是發展。在更大的平等與經濟發展之間存在衝突的想法，通過對現在的發達國家的歷史進行比較之後得到了支持。西方國家甚至還有日本在工業化的早期都有過不平等加劇的經歷。對窮人的殘酷剝削被認為是使儲蓄增加和富於進取的創業精神成為可能的必要條件，能給工業革命注入動力。

……

為什麼同經濟發展和更大的經濟平等兩個目標之間存在著衝突這個通常概念相反，兩者常常協調一致，為什麼不發達國家更大的平等幾乎是更快發展的一個條件，在我看來，有一系列總的原因。

第一，通常的一個論據是收入的不平等是儲蓄的一個條件，這與不發達國家的狀況沒有多少關係。據瞭解，那裏的地主和其它富人將其收入花費在擺闊氣的消費和擺闊氣的投資上，有時候，特別是在（但不僅僅在）拉丁美洲，用於資本外逃。

第二，由於不發達國家的大部分人身受營養不足、營養不良及他們生活水準上的其它嚴重不足之苦，特別是健康和教育基本設施的缺乏、極端惡劣的住房條件和衛生等，也由於這損害了他們工作和勤奮工作的意願和能力，結果生產停滯不前。這意味著提高大眾收入水準的措施會提高生產率。

第三，社會的平等與經濟的平等連在一起，兩者的關係是相互的，互為因果。更大的經濟平等毫無疑問趨於帶來更大的社會平等。由於社會不平等對於發展通常相當有害，結論必然是，通過這個機制，更大的平等也會帶來更高的生產率。

第四，在尋求更大的平等背後是對這樣的一個事實的認識，即它在社會公正方面有種獨立的價值，對國家凝聚力具有健康的作用。我們不能將這排除在考慮之外。

當我們想起不發達國家貧困階層悲慘低下的生活水準時，如果我們考慮到這些總的原因對生產率的有益作用，那就更應沒有理由相信為取得更大平等的改革會對經濟發展有害這個多半純理論的問題。

……

在貧困和不平等之間有數個方面的聯繫。其中之一組成了本章的主題，即就像我們所主張的，社會和經濟的不平等是一個國家貧困的一個主要原因。從計劃角度看，這意味著更大的平等是讓一個國家擺脫貧困的前提條件。

另一個聯繫是，一個國家在總量或平均值上越是貧窮，經濟不平等給那些最貧困的人們帶來的苦難越是深重。有一種「洛倫茨曲線」表明的是人口的任何一部分所佔總收入的比例——通常並不是這麼回事，儘管能得到的粗糙資料並未排除在一些發達國家應用的可能性。即使不發達國家總體不平等的程度從「洛倫茨曲線」來講同發達國家可比，它對不發達國家低收入階層人們的影響也要不利得多。

第三個聯繫是，經濟和社會不平等本身不僅是普遍貧困和一個國家很難擺脫貧困的原因，而且同時也是其結果。看一看南亞的不平等與貧困程度之間的大致關係，就有理由問一問貧困是否造成了不平等。

（節選自〔瑞典〕岡納・繆爾達爾著，顧朝陽等譯《世界貧困的挑戰——世界反貧困大綱》，北京經濟學院出版社 1991 年版）

編選說明 ●●●

本篇選自岡納・繆爾達爾《世界貧困的挑戰——世界反貧困大

綱》，篇名為編者所加。本篇從經濟不平等的角度，分析了南亞國家貧困的原因，值得我們思考。

西蒙・庫茲涅茨

現代經濟增長的特徵

以國民總產值及其組成部分、人口、勞動力等常規衡量為基礎的分析，得出現代經濟增長的六個特徵。第一個最明顯的特徵是發達國家的人均產值增長率和人口增長率很高，至少到最近的十年或二十年內，可以觀察到這些國家和世界上其它國家的增長率比過去的增長率要提高數倍。第二，生產力提高的速度快，也就是說，產出高於對每個單位的所有投入的比例，即使我們把勞動力這個主要生產力因素以外的其它因素也包括在投入中，情況也一樣。在這一方面，生產力的提高速度也是過去的數倍。第三，經濟結構轉變的速度快。結構變化主要包括從農業生產轉向非農業生產，現在則是從工業轉向服務業；生產單位的規模發生變化，與此有關的從個體企業向非個體經營組織的轉變，勞動的職業地位也出現了相應的變化。此外還可以加上經濟結構的其它方面發生的幾種變化（消費結構的轉變、國內供應和國外供應所佔的比例等等）。第四，有緊密聯繫而且極為重要的社會結構及其意識形態也迅速變化。人們很容易想到社會學家把城市化和世俗化視為現代化的組成部分。第五，經濟上發達的國家利用技術力量（包括和平的和戰爭的），有擴展到世界上其餘地區的傾向——從而形成了一個前現代的任何時候都未曾有過的世界。第六，現代經濟增長的傳播，儘管在全世界都產生部分效果，但仍然是有限的因為在占世界人口四分之三的國家中，經濟狀況仍未達到現代技術潛力可能達到的最低水準。

上述的六個特徵是互相聯繫的。它們之間的聯繫是極其重要的。在勞動力占總人口的比例相當穩定的情況下，人均產量的高速度增長意味著每個工人的生產率有高速的增長；如果平均勞動時間減少，那它便意味著每人每小時平均產量以更高的速度增長。即使我們承認最廣泛意義上的資本積纍大有增長，生產力的增長速度仍然很高，而且確實反映了人均產量和人均消費的巨大增長。由於後者反映技術進步的實際效用，因此，生產結構的變化是不可避免的，即使技術革新對若干生產部門的影響不同，國內對各種消費品需求的收入彈性不同，對外貿易的可比利益在變化之中，情況也是如此。正如前文指出的，技術進步改變了生產廠家的規模和經濟企業單位的性質。結果，勞動力有效地參與現代經濟系統，必然帶來它的位置和結構的迅速變化、職業群體關係的迅速變化，甚至導致勞動力與整個人口之間關係的迅速變化（然而，最後一種變化處在受到全面限制的狹窄的範圍內）。於是，不僅高速度的總體增長與經濟結構的迅速變化有聯繫，經濟結構的迅速變化同社會中其它方面的迅速變化也有聯繫，其中包括家庭的形成、城市化、人類對其作用的看法以及衡量人類在社會中取得成就的標準等等。在先於其它國家進入這一過程的國家中，現代經濟增長的推動力意味著地理上的延伸；這一過程的繼續傳播，在運輸和交通方面迅速變化的促進下，意味著向欠發達地區的不斷擴張。與此同時，制度和意識形態轉變的困難需要在比較短的時間內把現代技術新的巨大潛力轉為經濟增長，因為 18 世紀末限制了這種體系的傳播。

此外，發達國家的政策對這種轉變造成的障礙，過去強加在欠發達地區，現在仍然強加在這些地區。

如果現代經濟增長的這些特徵是相互聯繫的，即相互之間處於一種特徵引起另一種特徵的因果關係之中，或者說，一些共同的基本因素都在同時產生影響，那就應當注意到另一種似乎有可能而且是重要的聯繫。技術關係的大量應用構成現代經濟增長的許多特殊內容，它與科學的進一步發展是有緊密聯繫的，反過來又成為技術更加進步的基礎。這個問題還有待於深入研究，但有一點看來十分清楚，技術革新（許多是以當代的科學發現為基礎）的大量應用，提供了一種積極的回饋作用。它們不僅為基礎研究和應用研究提供大量的經濟盈餘，使這些費時很長又需要大量資金的研究工作得以進行下去，而且還有一個更特別的作用，在經濟生產改革的壓力下，它們使有效的新工具發展為科學所用，並為研究自然過程的行為提供了新的資料。換句話說，發達國家中的許多生產廠家可以看作是探索自然過程的實驗室和研究新工具的中心，兩者都可以在科學和技術的基礎研究和應用研究方面作出巨大的貢獻。過去的兩個世紀，科學的基礎研究和應用研究極大地加速了對有用知識的積累作出了貢獻，而這些應用研究又進一步刺激了新的技術革新。這絕不是偶然的。因此，現代經濟增長反映了這樣一種相互關係，它通過大量應用的回饋，保持了知識的進一步高速度發展。除非有什麼障礙來干擾，否則它就為自我持續的技術發展提供一種機制，由於宇宙（相對於地球上的人類來說）之廣大，技術進展顯然也是無止境的。

（節選自謝立中、孫立平主編《二十世紀西方現代化理論文選》，上

海三聯書店 2002 年版）

編選說明 ●●●

本篇選自西蒙·庫茲涅茨《現代的經濟增長：發現和思考》，篇名為編者所加。在本篇中，庫茲涅茨通過對發達國家和不發達國家大量歷史統計資料的整理和比較，總結出工業化以來到 19 世紀期間現代經濟增長有六個特徵，即發達國家的人均產值增長率和人口增長率都很高；生產力提高的速度快；經濟結構轉變的速度快；社會結構及其意識形態變化迅速；發達國家利用技術力量的增強；現代經濟增長的傳播仍然有限。

希歐多爾．舒爾茨

人力資本與經濟增長

現在，我要談一談與經濟增長之謎密切相關的三個糾纏不清的重要問題。首先考慮資本——收入比率的長期變動。據說一個國家積累的再生產性資本比其土地和勞動更多，則這個國家總會以更大的「深度」利用這類資本，因為這類資本越來越多而且便宜。但是，實際情況顯然並非如此。相反，現在的估計表明，隨著經濟不斷增長，這類資本與收入相對而言使用得越來越少了。難道我們還能斷定無論解釋貧或富都與資本一收入比率無關嗎？或者斷定這個比率的提高並非經濟增長的前提嗎？這些問題引起了重要的爭論，這些爭論關係到擁有財富的動機和偏好，關係到進行特殊投資並由此而積累資本的動機。為了本文的目的，最需要指出的是：有關資本——收入比率的這些估計僅僅說的是全部資本的一部分。最遺憾的是這些估計都特別把任何人力資本排除在外。然而，人力資本則無疑是在按照一個比再生產性（非人）資本高得多的速度不斷地增長著的。所以，我們便不能根據這些估計斷定與收入相比之下，全部資本存量已經下降。相反，如果我們接受了下面這個並非不可能的假設，即人的動機和偏好，可供他們選擇的技術機會以及某些時期經濟增長而來的不確定性，不斷地引導著人們將總的資本和收入之間的比率大致保持不變，估算出來的資本——收入比率的下降，便不過是一個信號，表明人力資本不僅與通常所說的資本相比之下，而且與收入相比都是在不斷地增長著的。

大量的估計數字表明，國民收入的增長比國民資源的增長要快，這樣，便產生了一個並非不相干的難題。與用於產生收入的土地、實際勞動量和再生產性資本的數量的三者結合起來的數量相比，美國國民收入持續增長的速度要高得多。而且，最近幾十年間，從一個商業周期到另一個商業周期，兩個增長速度之差變得越來越大。將這個差額叫作「資源生產力」的一個量度，那是給我們的無知起了一個名稱，而並沒有消除掉我們的無知。如果我們接受這些估計值，那麼，國民資源和國民收入之間的關係就會變得長期稀鬆而且脆弱。如果這種差額得不到說明，那麼，作為通用衡量標準而應用於投入產出的那種公認的生產理論便會成為一個玩具，而不成其為一個有助於研究經濟增長的工具。

如果們完全忽略這個指數，並無視那些使得諸如總產出和總投入這類問題數位的全部估算產生誤差的匯總問題的話，那麼，有兩種力量可能說明這個差額。一個是規模的收益；另一個是已經出現但在估計投入品時被漏掉的投入品質量方面的巨大改進。毋庸置疑，我們的經濟一直在經歷著被一個時期的規模收益遞減所抵銷的另一時期的規模收益遞增。如果我們能夠成功地鑒別和衡量出增長的淨量，那麼，其結果可能會表明這個淨量是巨大的。人們未曾給予充分考慮的投入品的那種品質改進，有一部分肯定是代表物質（非人）資本的改進。不過我自己的看法是，與被人忽略的人的能力的改進相比，這裏的缺陷以及被人漏掉的規模方面的經濟效果都是投入增長速度和產出增長速度兩者之差的次要根源。

只再進一步便會把我們由現有估計所提出的兩個難題引到作為核心內容的第三個問題上去，也就是基本上尚未得到說明的工人實際工資的大幅度增長的問題。難道這是額外的收入嗎？或者是等待調整勞動供給的一種準地租嗎？還是反映固定勞動量的純地租呢？把它說成是代表一種向人類投資的收益，似乎倒合理得多。觀察到的按勞動單位平均的生產率的增長，只是因為保持這種勞動單位長時間不變的緣故，儘管這種單位勞動實際上由按工人平均的人力資本數量的穩定增長而已經不斷增加。正如我從我們以往的資料中所看到的那樣，作為人力投資的結果，人力資本部分已變得非常巨大。

為這個根本問題提供相同答案的另一方面是，大戰期間工廠和設備遭到嚴重摧毀的國家在戰後迅速得到恢復。工廠被炸平了，鐵路樞紐、橋樑、港口被破壞了，城市被毀滅了，比比皆是轟炸所造成的損失。建築物、設備以及庫存物資全部都被化為廢墟。那些幸免於轟炸的實物設備在戰時的損失不是如此明顯，然而數量卻很大。經濟學家應該估價恢復這些戰時損失的意義如何。從事後來看，他們顯然過高地估計了這些損失對日後的阻礙作用。我曾經多少參與過上述工作，並認為有一種特殊理由去回顧以往而且急於知道為什麼我們在戰後不久所作的判斷與實際情況相差如此之遠。現在，問題清楚了。答案是：在作出這種判斷時，我們全都過分地看重了非人資本。我確信，我們陷入了這種謬誤是因為我們缺乏一個完整的資本概念，並且未曾說明人力資本及其在現代經濟的生產活動中所起的重要作用。

人們普遍認為，國家貧窮主要是因為它們極端缺乏資本，而且，追加資本正是它們更迅速地取得經濟增長的關鍵。我認為，仍然需要重視資本的特殊類型方能求得這種協調。向這些國家提供的新的外國資本通常被用於建築物、設備，有時也被用來購置存貨，而一般不被用來增加人力投資。因此，人的能力沒有與物質資本保持齊頭並進，而變成經濟增長的限制因素。所以，僅僅增加某些非人力資源，資本吸收率必然低下，這並不奇怪。

（節選自〔美〕希歐多爾·W.舒爾茨著，吳珠華等譯《論人力資本投資》，北京經濟學院出版社 1992 年版）

編選説明 ●●●

本篇選自希歐多爾·W·舒爾茨《人力資本投資》，篇名為編者所加。希歐多爾·W.舒爾茨（1902—1998），美國經濟學家。「芝加哥學派」的代表人物之一，人力資本理論的構建者。1979 年因在經濟發展方面做出了開創性研究，深入研究了發展中國家在發展經濟中應特別考慮的問題，獲得諾貝爾經濟學獎。其代表作有《改造傳統農業》《論人力資本投資》等。《人力資本投資》一文是舒爾茨在 1960 年美國經濟協會年會上以會長的身份所作的演講。在這次演講中，他第一次系統提出了人力資本理論。從此，人力資本這一概念被國際學術界廣泛接受，並逐步形成了一股研究人力資本的熱潮。因此，舒爾茨被稱為「人力資本之父」。本篇是《人力資本投資》一文中論述人力資本與經濟增長關係的部分。

希歐多爾・舒爾茨

窮困經濟學（節選）

世界上的人大多數非常貧窮。倘若我們懂得了窮國的經濟學，就會理解經濟學中許多真正重要的問題。世界上的窮人大部分都靠農業謀生，倘若我們懂得農業經濟學，就會深入瞭解貧窮國家之經濟學的很多主要內容。

經濟學家發現，要想理解使窮人做出自己的選擇之有關偏好和稀缺方面的約束因素，十分困難。我們都知道，世界上的人大部分很窮，他們憑著自己的勞動掙得微薄的收入，這微薄的收入要有一半以上用於購買食物。這些窮人基本上都住在低收入國家，其中大多數人靠農業謀生。許多經濟學家都不大懂得的是，窮人和富人同樣關心改善自己及其子女的生活狀況。

近幾十年來，我們所瞭解的農業經濟學在大多數富於理智和見多識廣的人們看來，顯得十分自相矛盾，許多低收入國家的農業生產都具備著潛在的經濟能力來生產足夠的食物，以滿足仍然在不斷增長的人口之需要，並且可以提高窮人的收入，大大地改進其福利狀況。改進窮人的福利之關鍵因素不是空間、能源和耕地，而是提高人口品質，提高知識水準。

在最近幾十年裏，學院派經濟學家的工作極大地擴展了我們對於人力資本經濟學的理解，特別是對於科學研究的經濟意義，農民對於可帶來收益的新技術之反應，生產與福利之間的關係以及家庭經濟學，都有了更進一步的理解。然而，發展經濟學卻犯了幾個理智上的錯誤。其中，一個主要的錯誤是，他們假設標準的經濟理論不適用於理解低收入國家的經濟狀況，而需要建立一門獨特的經濟理論，才能解釋這類國家的經濟發展情況。直到事實證明了為此目的而逐漸研究出來的各類模式至多也不過是經濟學家頭腦中的好奇心之產物，人們才不再那麼普遍地讚賞這些模式了。但是，儘管我們很容易理解文化和行為學者對其研究的用處之憂慮，有一些經濟學家還是要轉向從文化和社會的角度來解釋所謂的低收入國家窮人的經濟行為。現在已經越來越多的經濟學家開始認識到，標準的經濟學理論既適用於解決低收入國家的經濟匱乏問題，也適用於解決高收入國家與此相應的有關問題。

發展經濟學的第二個錯誤是忽略了經濟學發展的歷史。當古典經濟學發展起來時，西歐大多數人民正在勉強從其所耕種的土地上「挖」出自己的生存必需品，他們也注定只能享有較短的壽命。這就是說，早期的經濟學家所要論述的經濟條件與當今這些低收入國家普遍存在的經濟條件十分相似。在李嘉圖時代，英國勞動者家庭收入的一半必需用於購買食物，這種情況與今天的許多低收入國家一樣。馬歇爾指出，在李嘉圖發表他的《政治經濟學原理和稅收》（1817 年）的那個時代，「英國勞動者每星期的工資常常要比半蒲式耳優等小麥的價格還低」。現在一個印度農民的周工資也略低於兩蒲式耳小麥的價格。人們長期積纍的經驗以及窮人目前所取得的成績，可能會大大地有助於理解今天的低收入國家所存在的問題及其獲得解決的可能性。這種理解遠比那些有關土地、生態和未來技術的最詳盡和最準確的知識更加重要。

我們所缺乏的，還有關於人口問題的歷史性認識。根據現在的世界統計資料所推斷出的結果，使我們震驚地發現：窮人的大量增殖造成了他們自己的災難。然而，從我們的社會和經濟歷史上看，人們已經是非常窮困的時候，這種大量增殖的情況還沒有發生呢！因此，有關當前窮國之毀滅性人口增長的預言，也沒有什麼根據。

（節選自〔美〕希歐多爾・W.舒爾茨著，吳珠華等譯《論人力資本投資》，北京經濟學院出版社 1992 年版）

編選說明 ●●●

本篇節選自希歐多爾・W.舒爾茨《論人力資本投資》。本篇是作者以 1979 年 12 月 8 日在斯德哥爾摩諾貝爾經濟學獎頒獎儀式上的演講為基礎寫成的。作者根據其人力資本理論和他對發展中國家農民的認識，認為改進窮人福利的關鍵因素是提高人口品質，提高知識水準。並批評了發展經濟學的結構主義分析思路，強調運用新古典經濟學的方法和理論來研究發展中國家的經濟問題，對發展經濟學回歸新古典主義發揮了重要的影響。

格爾申克隆

對現代工業化「前提條件」概念的反思

上述種種，目的並不在於提出一批例證，也不是要證明或詳盡論述所提及的一些關係，而且是通過歷史經驗來指出：工業化過程是具有極大的彈性和多樣性的。缺乏可視為工業發展前提條件的「普遍」原則的某些因素，似乎並不一定減損前提條件這個概念的啟發價值。正是從這個概念出發，並努力探索某個特定國家如何在缺乏某些前提條件情況下設法開始其工業化進程，我們才能對在不同落後程度的條件下實行工業化的活動得到某種既有區分而仍一致的看法。當我們研究這個進程的最後階段時，我們發現，在一個國家可能起了前提條件作用的，並在某種意義上成為其工業化的「原因」的因素，在另一個國家則似乎是工業化的結果。這個看法對於加強和完善當前的工業化研究工作是很有幫助的。這個延遲了的「正常化」的發展過程，如果聯繫到有關地區的落後程度，大概還可以理解得更為清楚。

當然，在另一方面，這並不意味著缺乏某些「前提條件」無論如何都應看作是「落後的有利性」。多半由於這種有利性的存在，所以有可能克服缺乏經濟進步前提條件的困難。但是作為一個法則，發展過程是要付出代價的。上文關於多種替代形式的討論，涉及了對困難、傾向和代價的探索以至衡量和比較，這將是研究工作上的一項富有成果的任務。那種完全蔑視人的價值的替代形式，也許就是大約三十年來蘇聯工業化過程最突出的特徵。

同時，不管怎樣，可以有理由提出，過去的歷史經驗顯然可以為落後國家的工業化一般前景提供積極的借鑒。這意思不是單純地指過去的工業化過程中所遇到的種種巨大缺陷和障礙。考察歷史記錄，人們不能不對落後國家在解決其工業化發展的特殊問題時所表現的機敏、創新和靈活留下深刻的印象。我們沒有任何先驗性的理由來設想，今天站在自己工業化門檻上的欠發達國家，在彌補它們所缺乏的那些在較幸運的國家被稱為工業迅速增長的最初飛躍的「前提條件」時，會表現出缺乏創造性的適應能力。人們只能希望，在設計它自己的工業進步的藍圖時，這些欠發達國家將急切地從人類的福利和幸福的角度，選擇那些他們能夠以較小代價取得較大成果的道路。

（節選自〔美〕羅榮渠主編《現代化：理論與歷史經驗的再探討》，上海譯文出版社 1993 年版）

編選說明 ●●●

本篇選自亞歷山大・格爾申克隆對現代工業化「前提條件」概念的反思。亞歷山大・格爾申克隆（1904—1978），美籍俄裔經濟學家，後發優勢理論的創立者，主要從事經濟史研究。代表作有《經濟落後的歷史考察》《對現代工業化「前提條件」概念的反思》等。作者在本篇中對所謂實現現代工業化需要具備的標準的「前提條件」的觀點進行了反駁，他認為工業化並沒有固定的模式，所謂的工業化前提條件實際上只是工業化的結果，並不存在實現工業化所需要具備的一系列標準前提條件。這一觀點對後發國家根據自己的國情選擇合適的工業化或現代化道路具有重要的指導意義。

訥克斯

貧困的惡性循環

在討論經濟發展問題的時候，經常會碰到的一個慣用語是「貧窮的惡性循環」。一般把它看成是某種不言而喻的事情，不值得細加研究。我卻希望先從研究這個不言而喻的概念入手。

這個概念意味著，一組會起迴圈作用的力量，能使貧窮的國家老是處在貧窮狀態中。這種迴圈作用的實例並不難想像。舉例來說，有一個窮人吃不上飽飯，因為吃不飽，他的身體就很弱，因為身體弱，他的工作效率就很低，也就是說他很窮；反之，他又意味著他吃不上飽飯，如此迴圈不已。把一個國家作為一個整體來說，同類的情況可以歸納為這樣一個平凡的命題：「一個國家因為窮所以窮」。

也許這樣的迴圈關係，就是那些在經濟落後國家裏阻礙資本積纍的最重要的迴圈關係。資本的供給是由儲蓄的能力和願望所決定的；對資本的需求是由對投資的刺激所決定的。在世界上的貧困地區，在資本形成問題的兩方面都存在著迴圈關係。

在供給方面是：由於實際收入水準很低，儲蓄能力就小。實際收入低是生產率低的反映。而生產率之所以低，又在很大程度上是由於缺乏資本，而資本之所以缺乏，又正是儲蓄能力小所造成的結果。這樣就成了一個迴圈。

在需求方面是：由於人民的購買力很小，對投資的引誘可以很低。人民的購買力所以小，是因為他們的實際收入低，而這又是因為生產率低。然而，生產率所以低，又是在生產中使用資本數量少的結果，而這又至少有幾分是因為對投資的引誘小。

實際收入的水準所以低是反映了生產率低，這是兩個迴圈的共同之點。人們通常往往只是強調供給方面的困難。這方面困難當然是明顯而嚴重的，有關這方面的若干問題將在下文作深入探討。但是在需求方面可能存在的障礙，只要人們一旦注意到的話，也是十分明顯的，雖然它也許不如供給不足那樣嚴重，那樣難以消除。

此外，我們要記住資本並不是一切。除了使資本問題發生困擾的迴圈作用而外，當然還有使一個國家老是處於貧窮狀態的單方面的原因；例如：礦物資源缺乏，水量不足或者土壤貧瘠等。今天世界上有些國家所以窮，一部分原因就在於此。但是所有窮國，其貧窮的原因也都可以在某種程度上歸咎於缺乏充分的資本設備，這可能是由於對投資的引誘小，也可能是由於儲蓄的能力小。

（節選自〔美〕訥克斯著，謹齋譯《不發達國家的資本形成問題》，商務印書館 1966 年版）

編選說明 •••

本篇選自訥克斯《不發達國家的資本形成問題》，篇名為編者所加。訥克斯（1907—1959），美國經濟學家，主要從事發展經濟學的研究，《不發達國家的資本形成問題》是他的代表作。該書系統地論述了平衡增長的經濟發展戰略，在早期發展經濟學中具有重要的影響。貧困的惡性循環，是該書的理論基礎。他認為資本缺乏是造成貧困惡性循環的關鍵，因而資本形成在消除經濟停滯、促進經濟增長中起著重要的作用。

愛德華・肖

金融自由化與經濟增長

金融自由化有助於提高國內私人儲蓄對收入的比率。增加的儲蓄中有些可能是幻覺，有些可能被計入了國民收入帳戶，有些可能是從各種難以度量的資本外流形式中轉移出來的。但是，增加的某些儲蓄則肯定是出於儲蓄的報酬比較高（較高的實際利率）和儲蓄者獲得了分散國內資產結構的機會。此外，金融機構的實際增長，也給更多的投資者提供了獲取借款的途徑，刺激他們進行儲蓄和積纍財產，這會使借款更加廉價。最後，在金融自由化的情況下，儲蓄者的視野會伸得更遠，對收入的預期也會變化，這會相對地減少現時消費的吸引力。

金融自由化將使政府部門的儲蓄趨於增長。在非集中的經濟中，當金融淺短時，政府的儲蓄一般很少。政府依賴通貨膨脹稅獲得財力，而政府企業的利潤和稅入對通貨膨脹的無彈性，一般會減少政府儲蓄。金融自由化也會影響國外部門的儲蓄。當一些被扭曲的相對價格——利率、匯率等——被糾正後，進入國外資本市場就比較容易，國內資金的外逃將被扭轉。在某些情況下，國外資金的流入甚至會達到這樣的程度，即在穩定的國內物價水準下，這些外資很難被完全吸納。

在一定程度上，金融自由化會使得動員和分配儲蓄的融資活動有可能取代財政活動、通貨膨脹和國外的援助。在落後的經濟中，財政手段也是落後的。以財政手段獲得收入的能力，通常受到政府消費需求的限制，在通常情況下，也受到最低限度的社會保障支出的限制。財政為各種投資提供資金的附加要求，勢必影響經濟效率和社會平等，這會抵消資本積纍給一些人帶來的利益。在落後經濟中，國外援助在很大程度上代替著國內的儲蓄；這個援助額，在某種程度上反映了落後經濟對儲蓄的較大需求，但它們卻推行著抑制國內自身儲蓄的相對價格。專門的計劃模型可以劃定人均收入的範圍，但它們卻使發展中經濟產生儲蓄和外匯的短缺，不過，在糾正了扭曲的相對價格後，這些模型就不怎麼適合了。

通過金融市場——各種投資機會在其中爭奪儲蓄流量——的擴大和多樣化，金融自由化開闢了優化儲蓄分配的道路。在金融被抑制的經濟中，儲蓄主要流往儲蓄者本人的投資；內源融資盛行。在金融自由化經濟中，儲蓄者有較大的資產選擇範圍。他們的儲蓄投放市場擴大了；在更大範圍內選擇金融資產的規模、期限和風險成為可能；比較各種投資選擇的信息也容易獲得。各地的資本市場通過一體化，成為一個統一的市場，集聚儲蓄和專營投資的新機會到來了。

在擴展的資本市場上，利率這種價格可用來甄別各種投資選擇，擴展的資本市場往往是新投資企業和技術創新投資專案出現的相應條件。各種投資競相爭奪儲蓄支配權。在這方面，它同金融抑制狀況形成了鮮明的對比。在那裏，儲蓄通過不受相對價格制約的狹窄管道，流入了企業、特別是政府企業和貿易行業的重複性投資專案。在金融抑制下，對儲蓄的投資用途的研究，往往是隨意和偶然的，很少進行投資收益率的比較。看來，金融深化是對儲蓄流量進行競爭性和創新性分配的一個重要前提。可以肯定，在金融淺短的經濟中，邊際投入一產出比率很高。

落後經濟中的失業，在某種程度上是金融抑制的結果。稀缺的儲蓄只能給生產提供不充足的資金。更糟糕的是，阻塞儲蓄的低利率，加上比較高的最低工資率，給勞動者提供了不合適的生產設備。這樣，即使資本稀缺而勞動力豐富，資金還是投向了資本密集型產業。導致勞動密集型農業和本土製造業喪失比較優勢的匯率高估，也不會改善勞動者的境況。

金融自由化及其相關的政策，有助於促進收入分配的平等。在某些落後的經濟中，勞動力對資本的替代彈性也許很高，因而，相對於工資率而言，利率和匯率的提高可能既增加就業又提高工資收入的份額。再者，金融自由化會減小壟斷收入，這種收入是通過進口和其它許可證，流向有特權的少數進口商、銀行借款者或電力消費者的。而且，在金融自由化經濟中，以很小的破壞平等與危及政治和社會穩定的代價就能實現資本迅速積累的金融和稅收措施，能夠取代被抑制經濟中流行的對農民或工人的扭曲貿易條件——這種扭曲會為投資者榨取利潤和儲蓄。

金融自由化和金融深化有利於就業和產出的穩定增長，從而可能擺脫經濟徘徊的局面。所以如此，原因之一就是增多的儲蓄流量中的一部分，可用來增加國際儲備。更靈活的匯率也可以承受國際貿易中發生的一些衝擊。如果因採取適宜政策而改善了國際收支的經常項目和國內儲蓄流量的活，那麼，經濟對賣方信貸和國外援助的數額波動，就具有較高的承受能力。從穩定的角度看，金融自由化最重要的地方，就是可以減少對爆發式通貨膨脹和以通貨膨脹稅平衡財政預算的依賴，並使貨幣變數置於貨幣紀律之下。

（節選自〔美〕愛德華 · 肖著，邵伏軍等譯《經濟發展中的金融深化》，上海三聯書店 1991 年版）

編選說明 ● ● ●

本篇選自愛德華 · 肖《經濟發展中的金融深化》，篇名為編者所加。愛德華 · 肖（1908—1994），美國經濟學家，金融深化理論的代表人物之一，《經濟發展中的金融深化》是他的代表作。該書從一個全新的角度對金融與經濟發展關係進行了開創性的研究，認為政府應放棄對金融市場和金融體系過分干預的金融抑制政策，放鬆對利率和匯率的控制，促進金融深化，使金融與經濟形成相互促進的良性迴圈。所謂金融深化，是指一國的貨幣經濟和金融資產的比重提高，貨幣與金融體系以及貨幣與金融市場機制充分發育和健全運行。該書的出版，開啟了金融發展理論的新時代，對金融發展理論產生了深遠的影響。本篇是該書的結論性總結。在該書出版的同時，美國經濟學家羅奈爾得 · 麥金農也發表了《經濟發展中的貨幣與資本》，這兩部著作共同構成了金融深化理論的基礎。

亞瑟·路易斯

勞動力無限供給條件下的經濟發展

1·在許多經濟中，支付維持生活的最低工資金，可以獲得無限的勞動力供給。這是古典模型。新古典模型（包括凱恩斯模型）用於這種經濟，會得出錯誤的結果。

2·在經濟發展的開始時，工人的主要來源是：自給農業，臨時勞動者，小商販，家庭僕人，家庭婦女以及人口的增長。如果一個國家相對於自然資源而言是人口過剩的話，則在大多數，但不是所有這些部門中，勞動的邊際生產率或微不足道，或是零，甚至是負數。

3·為雇傭這種剩餘勞動力而支付的維持生活的工資，可以決定於對維持生活所要求的最低水準的傳統看法，或者說這種工資可能等於維持生計的農業中的每人平均產品加上一個餘量。

4·這種經濟中資本主義部門的就業，總是隨資本形成的發生而擴大。

5·資本形成和技術進步的結果，不是提高工資，而是提高國民收入中利潤的份額。

6·在一個不發達經濟中，儲蓄相對於國民收入低下的原因不是人民的貧窮，而是相對於國民收入來說，資本家的利潤低。隨著資本主義部門的擴大，利潤相對地增長，而且國民收入中日益增加的部分用於再投資。

7・資本不僅由利潤形成，而且由信貸創造形成。按我們的模型，通過通貨膨脹創造資本的實際成本是零，而且這種資本和用更令人注意的方式（即用利潤）所創造的資本同樣有用。

8・以戰時掌握資源為目的的通貨膨脹可能是累積性的，但是，用於創造生產資本的通貨膨脹是自我消失性的。價格隨資本的創造而上陞，並隨它的產出上市，而再次下降。

9・資本主義部門並不能這樣無限制地擴大，因為資本積纍會進行得比人口增加得更快。工資在剩餘耗完時開始上陞到超過維持生活的水準。

10・但是，這個國家仍處於其它有剩餘勞動力國家的包圍之中。所以，一旦它的工資開始上陞，則大量的移民和資本的輸出會制止這種上陞。

11・大量不熟練勞動力的移民可以提高人均產量，但是它的作用是使所有國家的工資接近於最貧窮國家維持生活的水準。

12・資本輸出減少國內資本形成，並因此壓低工資。如果資本輸出使工人用的進口物品便宜，或者提高競爭國家的工資成本，則抵消這種作用。但是，如果資本輸出提高進口物品的成本或者減少競爭國家的成本，則使這種作用擴大。

13・外國資本的輸入不能提高有剩餘勞動力國家的實際工資，除非輸入資本的結果是促使它們生產供其國內消費的商品的生產率有所提高。

14・為什麼熱帶經濟作物如此便宜的主要原因，按它所提供的生活標準來看，是熱帶人均食物生產的低效率。實際上，提高出口工業效率的所有好處，都歸於外國消費者；而提高維持生活的食物生產效率，會自動的提高經濟作物的售價。

15．比較成本規律對於剩餘勞動力的國家和對於其它國家是一樣正確的。不過對於後者，它是主張自由貿易的正確基礎，而對於前者它便成了支持保護貿易的同樣正確的基礎。

（節選自〔英〕亞瑟．路易斯著，施煒等譯《二元經濟論》，北京經濟學院出版社 1989 年版）

編選說明 •••

本篇選自亞瑟．路易斯《勞動力無限供給條件下的經濟發展》。亞瑟．路易斯（1915—1991），英國經濟學家，研究發展中國家經濟問題的領導者和先驅。1979 年，路易斯由於在經濟發展方面做出了開創性研究，獲得了諾貝爾經濟學獎。《勞動力無限供給條件下的經濟發展》是他最著名的論文。在這篇論文中，路易斯首次提出了著名的二元經濟理論模型，並引起了廣泛的討論。在路易斯二元經濟模型的基礎上，經過作者本人和其它經濟學家的努力，二元經濟理論得到不斷擴充和完善，已成為分析發展中國家經濟發展、結構轉變等一系列重要問題的理論框架，對發展中國家的經濟發展具有重要的指導和參考價值。本篇是該文的結論部分。

W・羅斯托

經濟增長的階段

從經濟角度將所有社會歸於五種類型之一是可能的。這五種社會是傳統社會、起飛前提條件、起飛、走向成熟、大眾高消費時代。

一、傳統社會

首先是傳統社會。所謂的傳統社會是指這樣一種社會；它的結構是在有限的生產函數內發展起來的。它是以前牛頓時代的科學技術和前牛頓時代人類對物質世界的態度為基礎的。在這裏，牛頓被用作歷史分水嶺的一個象徵，這時人們開始廣泛地相信外部世界受少數認知規律的支配，並且相信人類能夠系統地進行生產控制。

然而，傳統社會的概念絕不是靜態的，它並不排除產量的增加。耕地面積能擴大，一些特別的技術創新（經常是高度生產性的創新）能被引進到貿易、工業和農業中。隨著諸如灌溉工程的改進或者一種農作物新品種的發現和擴散等情況的出現，生產力也會提高。但是，傳統社會的一個基本事實是該社會能夠達到的人均產量水準存在一個最高限度。這個限度產生於這樣的事實：即來自現代科學技術的潛力不是不存在，就是未被經常地和系統地利用。

二、起飛的前提條件

第二個增長階段包括處於轉變過程中的所有社會，即為起飛創造前提條件的階段。轉變傳統社會需要利用現代科學的成果，阻止報酬遞減，從而享受由復利增長所帶來的幸福和機會，而要做這些是需要時間的。

現代史的更一般的情形是，前提條件不是從內部產生的，而是由較先近社會的外部入侵產生的。這些入侵（直接的或間接的）動搖了傳統社會，開始或加速了它的解體；但是，這些入侵也推動了這樣的思想和感情，這些思想和感情引起了在舊文化的基礎上建立現代社會以替代傳統社會的過程。

有一種觀點傳播開來，這種觀點認為，經濟進步不僅是可能的，而且也是實現某些其它良好目的（如國家尊嚴、私人利潤、一般福利以及孩子們更好的生活等）的必要條件。至少對一些人來說，教育擴大和改變了，以適應現代經濟活動的需要。新型企業家在私人經濟中和在政府部門中出現了，他們願意在追求利潤或現代化過程中調動儲蓄和承擔風險。為調動資金，銀行和其它機構出現了。投資，尤其是對交通、通訊和原材料（這些原材料可能對其它國傢具有重要經濟利益）的投資增加了。國內外商業的範圍擴大了。使用新方法的現代製造企業到處興起。但是，這一階段的經濟和社會的主要特徵仍然是傳統的低效率生產方式，舊的社會結構和價值觀念以及與這兩者相聯繫而發展起來的以地方為基礎的政治制度。在這種經濟和社會背景下，以上所有這一切活動都進行得很緩慢。

雖然介於傳統社會和起飛之間的過渡階段在其經濟和社會價值平衡方面都經歷了重要變化，但是一個決定性的特徵常常是政治上的。在政治方面，建立一個有效的中央集權的民族國家是前提條件階段的一個決定性的因素，而且差不多普遍是起飛的一個必要條件。這種中央集權國家以帶有新民族主義色彩的聯盟為基礎，反對傳統的地區性地主集團、殖民政權，或者兩者都反對。

三、起飛

現在我們討論現代社會生活中巨大的分水嶺：五個階段中的第三個階段，即起飛。起飛是穩定增長的障礙和阻力得以最終克服的時期。促進經濟進步的力量（在過去只是生產有限的突破和現代活動的飛地）擴大了並開始支配整個社會。增長成為正常狀態。復利似乎變成為習慣和制度結構。

起飛時期，新興工業迅速擴張，其所帶來利潤的很大一部分被再投資於新工廠。反過來，這些新工業迅速的擴大了對工廠工人的需求，為其服務的服務業以及對其它製造品的需求，從而引起了城市地區和其它現代化工廠的進一步擴張。現代部門的整個擴張過程使一部分人的收入增加。新的企業家階級擴大了，它支配著私人部門日益增大的投資。經濟利用了迄今尚未使用的自然資源和生存方法。

隨著農業的商業化，越來越多的農民準備採納新的生產方法和由此帶來的社會方式的深刻變化，新技術不僅在工業也在農業中擴散開來。農業生產率革命性的變化是成功起飛的一個必要條件，因為一個社會的現代化將急劇增加對農產品的需求。在十年或二十年後，經濟的基本結構和社會的社會和政治結構都發生了轉變，致使今後穩定增長率能夠正常地維持下去。

四、走向成熟

由於現在正常增長的經濟推動著現代技術在各個經濟領域中廣泛使用，起飛之後緊接著是一段長時期的持續的（即使是有波動的）增長。國民收入的大約 10%-20%被穩定地用於投資，使得產量常常超過人口的增長。隨著技術進步、新興工業加速發展和舊工業的衰落，經濟結構不斷地發生變化。該經濟在國際經濟中找到了一席之地：以前需要進口的商品現在由國內生產；新的進口需要產生了，而新的出口商品滿足它們。社會將與現代高效率生產的要求做出妥協，使得新的價值觀和制度與舊的價值觀和制度達成平衡，或者修改後者，以便使它們支持而非阻礙增長進程。

我們可以把成熟定義為這樣一個階段，在這個階段中，經濟展現出曾推動它起飛的初始工業的能力以及在非常廣泛地資源範圍上（如果不是全部資源範圍的話）吸收和有效地採用（當時條件下）現代技術的最先進成果的能力。在這樣一個階段，一個經濟顯現出其擁有技術能力和企業家才能來生產自己想要生產的任何東西，而不是生產一切東西。一國經濟（例如像目前的瑞典、瑞士）可能缺乏原材料或經濟地生產一種特定類型產品所需要的其它供應條件，但是，它的依賴是一個經濟選擇或者政治優先考慮的問題，而不是一個技術或者制度的必然結果。

五、大眾高消費時代

我們現在考慮大眾高消費時代。這時，主導部門轉向耐用消費品和服務業。美國開始步入這一階段；西歐和日本在開始精神飽滿地探索這個還沒有獲得的快樂；蘇聯也在遮遮掩掩地涉足這一階段。

當一些社會在 20 世紀達到成熟時，有兩種現象發生了：一是人均實際收入上陞到一個較高水準，使得大多數人能獲得超過基本食物、住房和穿著的消費。二是勞動力結構發生變化，不僅城市人口在總人口中的百分比上陞了，而且在辦公室或在工廠技術崗位上工作的人口比例也上陞了——這些人瞭解並渴望獲得成熟經濟的消費果實。

除了這些經濟上的變化之外，社會不再接受把現代技術的進一步擴展作為壓倒一切的目標。正是在這個成熟以後的階段，西方社會通過政治程序選擇把更多的資源用於社會福利和社會保障。福利國家的出現就是社會超越技術成熟的表現。但也就是在這個階段，如果消費者主權佔優勢，則資源越來越傾向於被引導到耐用消費品的生產和大眾化服務的普及。縫紉機、自行車，然後各種家用電器逐漸得到普及。然而，在歷史上，決定性的因素是便宜的大眾化汽車——它對人民生活和社會預期產生了革命性的經濟和社會影響。

（節選自〔美〕W.羅斯托著，郭熙寶等譯《經濟增長的階段——非共產黨宣言》，中國社會科學出版社 2001 年版）

編選說明 •••

本篇選自 W.羅斯托《經濟增長的階段——非共產黨宣言》。羅斯托（1916—），美國經濟學家，發展經濟學先驅之一。《經濟增長的階段——非共產主義宣言》是他的代表作。書中認為，從經濟角度，任何一國的經濟發展都會經過傳統社會、起飛前提條件、起飛、走向成熟、大眾高消費時代和消費階段以後等六個階段，該理論的提出，在學術界引起了強烈的反響和激烈的爭論。其中關於起飛理論、主導部門理論等對發展中國家的經濟發展具有重要的指導意義。本篇主要介紹了經濟增長的幾個階段及其特徵。

H·錢納裏

工業化的經驗（節選）

各個準工業國戰後在增長和結構轉變方面的經驗，展示了各種不同的發展道路。所有這些國家都實現了工業化，並且，一般說來，工業化的速度比根據發達國家歷史所預期的速度要快得多。9 個樣本國家（地區）在這一時期展現了各不相同的初始條件和發展經驗。它們的經驗具有代表性，而且包容了所有準工業國，因此，這些樣本的多樣性足以使我們作出初步的結論。

工業化過程是和結構轉變聯繫在一起的，絕不限於製造業在總產出中比重的簡單增加。對於一個國家的發展來說，最終需求結構、國際貿易和中間投入使用等方面的變化都起作用。雖然一些基本的長期力量是所有國家共有的，但初始條件的差異和發展戰略選擇的不同，也影響這 3 個部分相互作用的方式及過程展開的速度。

那些共有的力量主要有：隨人均收入增加而來的需求結構的變化，影響基本要素（土地、勞動和資本）投入和中間產品投入的技術變化。恩格爾定律——隨著收入的增加，需求結構向有利於製造業的方向發生強有力的轉變——對這些國家明顯有效，這種需求的變化是工業化的一種強大力量。同樣重要的是伴隨著增長的中間投入需求的增加，這種增加同時源於生產結構變化和技術變化，這個生產結構是向那些作為中間投入的重要利用者的製造業分部門轉化的，而技術變化則導致了一個更為專業化和複雜化的經濟。

戰後，國際貿易對準工業國相當重要。那些選擇並能夠採取開放發展戰略——以製造業產品出口為基礎——的國家和那些採取內向型發展戰略的國家相比，增長更快並且結構轉變率更高。這些國家實績的改善，是和國際貿易對一個國家的兩種不同作用相關的：

在出口方面，貿易使一個國家的生產得以專業化，進而超越那些由有限的國內需求所強加的限制，擴大一些特殊部門的生產。反過來製造業出口的擴張也能促進規模經濟和由此而來的更迅速的工業化。所以，出口使那些採取開放發展戰略的國家和那些採取內向戰略的國家相比，取得了更快的結構轉變。

在進口方面，也有同樣重要的力量在發揮作用。外匯利用的增加——無論通過什麼來源——使一個國家能夠進口中間產品和資本物品。在發展早期，要在國內生產這些中間產品和資本物品。即使不是不可能，也是很難的。工業化必須利用日益增加的「現代」的中間投入，但通過進口比僅僅通過擴大國內生產能夠更快地取得這些中間投入。因此，和那些採取內向型戰略的國家相比，採取開放發展戰略的國家可以更快的改變它們的投入——產出結構。

為了採取極為依賴製造業出口的開放發展戰略，不僅需要適當的政策選擇。一國的初始條件也是重要的，並不僅限於貿易政策。享有製造業出口高增長率的國家，通常以製造業在總產出中的高份額為開端（韓國除外，它的急劇增長從相對低的份額開始）。有證據表明存在著這樣的順序：一些成功地採取了開放發展戰略的國家，在一段顯著的進口替代之後，也開始增加製造產品的出口。為獲成功，製造業出口擴張無疑會要求有包括中間聯繫增多的強大的工業基礎（韓國獲得了這個基礎，雖然它的製造業初始份額較低）。這一基礎的發展常常需要一個明顯的進口替代階段，雖然隨著過程的展開，進口一些技術是可能的。這些結論和扶持幼小工業的論點一致，尤其是如果這些幼小工業產生技術轉移和部門之間的聯繫的話。

一個開放的發展戰略得益於生產結構和國內需求結構之間聯繫的分離。一些國家可以採取兩種專業化形式：部門之間的——一些部門增加出口，另外一些部門增加進口；部門內部的——在一些部門進出口同時增加。在樣本中，兩種傾向都是明顯的。但是部門內部貿易的增長更加顯著，而且同樣明顯的是，出口部門的專業化和製造業內部對進口的中間產品和資本物品的依賴性增強。

製造業增長對貿易平衡的最後作用是雙重的。迅速的工業化傾向於增加進口中間產品的需求，製成品出口常常集中在那些最依賴進口的部門。在大部分工業化過程中，製造業對收支平衡的淨作用是消極的，只是在後期階段，當一個國家在「較為剛性」的重工業部門也取得了進口替代時，製造業的變化對於貿易平衡的淨作用才轉變為積極的。

在一個出口導向或開放的發展戰略下，出口狀況、外資流入、進口和總增長相互作用。雖然這些力量當中的因果關係性質難以搞清，但很明顯，一個開放的發展戰略如果要取得成功，需要一個艱難的力的平衡和精心的時間選擇。成功的利益是巨大的，但是對戰略所要求的結構轉化進行管理是很困難的，伴隨而來的貿易平衡的壓力也很大。

（節選自〔美〕H.錢納裏等著，吳奇等譯《工業化與經濟增長的比較研究》，上海三聯書店 1993 年版）

編選說明 •••

本篇選自 H.錢納裏、S.魯賓遜、M.賽爾奎著《工業化與經濟增長的比較研究》。《工業化與經濟增長的比較研究》是錢納裏的代表作之一。該書通過多種形式的比較研究和實證分析，考察了發展中國家特別是準工業化國家的發展經歷，在當代經濟發展的理論研究中具有重要地位。本篇是作者在大量實證研究的基礎上，通過對九個不同初始條件的準工業化國家的工業化進程和政策的比較分析，總結出來的工業化發展經驗。

道格拉斯·諾斯

有效率的經濟組織是經濟增長的關鍵

本書的中心論點是一目了然的，那就是有效率的經濟組織是經濟增長的關鍵；一個有效率的經濟組織在西歐的發展正是西方興起的原因所在。

有效率的組織需要在制度上作出安排和確立所有權以便造成一種刺激，將個人的經濟努力變成私人收益率接近社會收益率（私人收益率是經濟單位從事一種活動所得的淨收入款。社會收益率是社會從這一活動所得的總淨收益（正的或負的）。它等於私人收益率加這一活動使社會其它每個人的淨收益。）的活動。

……

以往，大多數經濟史學家宣稱技術變革是西方經濟成長的主要原因；誠然歐洲經濟的歷史是圍繞著工業革命而展開的。稍後有一些人強調對人力資本的投資是經濟增長的重要原因。近來，有些學者已經開始探討市場訊息成本下降對經濟增長的效應。毫無疑問，以上每一種因素都對產量增長有明顯作用。所以規模經濟建立在市場越大，生產就越大的基礎之上。由於上述原因，還由於我們整個關心的是按人口計算的經濟增長，所以人口擴張本身也是我們確定經濟的「實際」增長需要把握的一個尺度。

前一段反映的這些情況幾乎普遍被經濟史學家和經濟學家在他們

對過去經濟成就的判斷中當作決定經濟增長的因素來看待。然而解釋顯然存在漏洞。使我們疑惑不解的是：如果經濟增長所需要就是投資和創新，為什麼有些社會具備了這種條件卻沒有如意的結局呢？

我們認為，答案使我們回到最初的論點上去。我們列出的原因（創新、規模經濟、教育、資本積纍等）並不是經濟增長的原因；它們乃是增長。而本書著眼於引起經濟增長的那些原因。除非現行的經濟組織是有效率的，否則經濟增長不會簡單地發生。個人必然受刺激的驅使去從事合乎社會需要的活動。應當設計某種機制使社會收益率和私人收益率近乎相等。私人的收益或成本就是參與任何經濟交易的個人的利得或虧損。社會成本收益為影響整個社會的成本收益。私人和社會的收益或成本之間的不一致是指某個協力廠商不經他們同意會獲得某些收益或付出某些成本。每當所有權未予確定限制或沒有付諸實施時便會出現這種不一致。如果私人成本超過了私人收益，個人通常不會願意去從事活動，雖然對社會來說可能有利。

……

如果隨所有權而來的專有和實施可以免費得到保證，即無需交易費用，那麼達到經濟增長確實是簡單的。每個人都會得到收益或會承擔其行為的費用。如果為增加產量進行的新技術、新方法及組織改善方面的創新將費用強加給了其它人，那麼創新者應該確實也必須補償損失者。如果他可以做到這一點而境況仍然不錯，這便是真正的社會改善。不過一旦我們回到實際交易成本的現實世界，實現經濟增長的問題便更複雜了。而且當我們認識到在一組所有權創造之初與所有權一旦確立後制度運行之間不可避免要出現調整時，經濟增長問題就更為不確定。所有權始終置於一個社會的制度結構之內，新所有權的創造需要新的制度安排，確定和說明經濟單位可以協作和競爭的方式。

我們應當特別對這些制度注意，這些制度安排能夠使經濟單位實現規模經濟（股份公司、企業），鼓勵創新（獎金、專利法），提高要素市場的效率（圈地、匯票、廢除農奴），或者減少市場的不完善（保險公司）。這類制度安排起到了提高效率的作用。有的制度安排無需改變現行所有權便可以創造出來，有的包括在新所有權的創造過程之中；有的制度安排由政府完成，有的則是自發組織起來的。

建立組織，無論是政府的還是民間自願的，都需要實際費用。費用的多寡往往直接與必須參加協議的人數有關。在自發組織的情況下，退股也是自願的；但如果是政府組織的，退股只能由政治單位外的移民來完成。就是說，一個股份公司的入股者如果與公司的政策不合，他可以賣掉他的股份另組新股份公司；但是，如果他與其它人一道通過分區條例，他的財產可以派作的用途便受到限制，只要他擁有那份財產，他便不能隨意提取其款項，否則就得變更法律——而這本身是一樁要付出代價的事情。

考慮到這種實際費用，除非創建新的制度安排所帶來的私人收益可能超過成本，否則新的制度安排是不會提出的。我們應馬上指出這一公式的兩個重要方面。（1）設計新的制度安排需要時間、思想和努力（即它是有代價的），但是由於人們可以模仿新的制度形式而不補償設計新的制度措施的那些個人，因而在私人和社會的收益和成本方面會有重大差距。（2）政府的方案需要承擔為堅持未來決定而增加的費用，就是說撤銷費用高於自願組織的費用。為了不致誤解以上這兩點，我們將進一步討論政府及其在經濟組織中的作用。

作為一種基本上近似的辦法，我們可以把政府簡單看成是一種提供保護和公正而收取稅金作為回報的組織。即我們雇政府建立和實施所有權。雖然我們可以設想自願的組織可以在有限範圍內保護所有權，但是很難想像沒有政府權威而可以推廣這種所有權的實施。其理由不妨試想一下。自從游牧生活讓位於農業定居以來，人們已找到兩種方法來獲取產品和勞務。一種是生產它們，另一種是從別人那裏把它們偷來。在後一種情況下，強制是財富和收入再分配的一種手段。在搶劫者的威脅下，產品和勞務的生產者作出的反應是對軍事防禦投資。但是構築堡壘和徵募士兵隨即便帶來「白搭車」的幽靈。既然堡壘和軍隊幾乎不可能保護某些村民而不保護所有的村民，因此對每個人都有利的是讓他的鄰人出資，如果願意捐助的話。於是，防衛作為公共產品（公共產品是一種一旦生產出來人民便不可能不享受的產品。例如，如果保護一個村莊，就不能不把所有的村民都保護起來。瞭解了這一點，每個村民都極力逃避為村寨防衛出錢，這種情況被認為是「白搭車」問題）的典型例子，包括一個排除協力廠商受益的問題。最有效的解決辦法過去是並繼續是確立政府權威和向一切受益者徵稅。

公正和實行所有權不過是政府提供的公共產品的又一範例。一個有秩序的社會的必要條件集中體現為一組成文的或不成文的競賽規則。莊園的習俗僅以慣例流行；成文的規章是晚近才發展起來的。而歷史上的這類安排上自最初的形態（在這種形態下專制統治者佔優勢）下至諸如 1787 年在費城創立的那種明確劃分權力的詳盡無遺的憲法。這些基本的制度由於提供了以具體的或輔助性的制度安排（一個社會的特別法、規章習俗），從而減少了不確定性。

總之，我們應當看到，政府能夠確定和實行所有權，費用低於自願團體的費用；還要看到隨著市場的擴大，這些收益會更為顯著。因此便有一種刺激（除「白搭車」問題外）促使自願團體用歲入（稅金）來交換政府對所有權的嚴格規定和實施。

不過不能保證說政府會認為保護增進效率的所有權（即經濟活動的私人收益率相對於社會收益率提高），與反對可能完全阻撓經濟增長的業已受到保護的所有權，同樣對其有利。我們已經在西班牙的羊主團一例中看出了這種情況。作為一種比較，君主在出售可能阻撓創新和要素流動（從而阻撓經濟增長）的專有的壟斷權時會得到短期利益，因為他直接從這種出售中所得的歲入多於從其它來源所得歲入——即經濟結構重組的交易費用將超過直接收益。

（節選自〔美〕道格拉斯．C.諾斯等著，厲以平等譯《西方世界的興起》，華夏出版社 1999 年版）

編選說明 •••

本篇選自道格拉斯．C.諾斯等《西方世界的興起》，篇名為編者所加。道格拉斯．C.諾斯（1920—），美國經濟學家，新經濟史和新制度經濟學的先驅者和開拓者。1993 年，由於他建立了包括產權理論、國家理論和意識形態理論在內的制度變遷理論，獲得諾貝爾經濟獎。《西方世界的興起：新經濟史》是他的代表作之一。作者在本篇中運用從交易成本、公共產品和產權理論，論述了西方世界興起的原因。它試圖改變從某一偶然的技術革新中去尋找發生產業革命的原因，引導人們從現代所有權體系和社會制度漫長的孕育過程中去尋找經濟增長的原因，這樣對經濟增長的歷史動因的解釋就從生產技術轉移到人上，因而引起了西方經濟學界極大的興趣。

阿瑪蒂亞・森

以自由看待發展（節選）

發展可以看做是擴展人們享有的真實自由的一個過程。聚焦於人類自由的發展觀與更狹隘的發展觀形成了鮮明的對照。狹隘的發展觀包括發展就是國民生產總值增長、或個人收入提高、或工業化、或技術進步、或社會現代化等等的觀點。當然，國民生產總值或個人收人的增長，作為擴展社會成員享有的自由的手段，可以是非常重要的。但是自由同時還依賴於其它決定因素，諸如社會的和經濟的安排（例如教育和保健設施）以及政治的和公民的權利（例如參與醫療公共討論和監督的自由）。類似地，工業化、技術進步、社會現代化，都可以對擴展人類自由作出重大貢獻。但自由還取決於其它因素的影響。如果發展所要促進的就是自由，那麼就有很強的理由來集中注意這一主導性目的，而不是某些特定的手段，或者某些特別選中的工具。從擴展實質性自由的角度來看待發展，就應該把注意力集中到那些目標——正是它們才使發展變得重要——而不僅僅是某些在發展過程中發揮顯著作用的手段。

發展要求消除那些限制人們自由的主要因素，即：貧困以及暴政，經濟機會的缺乏以及系統化的社會剝奪，忽視公共設施以及壓迫性政權的不寬容和過度干預。儘管就總體而言，當代世界達到了前所未有的豐裕，但它還遠遠沒有為為數眾多——也許甚至是大多數——

的人們提供初步的自由。有時候，實質自由的缺乏直接與經濟貧困相聯繫，後者剝奪了人們免受飢餓、獲得足夠營養、得到對可治疾病的治療、擁有適當的衣服和住所、享用清潔用水和衛生設備等自由。在其它情況下，不自由直接關係到缺乏公共和社會關懷設施，諸如防疫計劃、對醫療保健或教育設施的組織安排、有效的維持地區和平與秩序的機構。此外，對自由的侵犯直接來源於威權主義政權對政治的和公民的權利的剝奪以及對參與社區的社會、政治和經濟生活的自由的限制。

……

在發展的概念中，個人自由之所以極其重要有兩個不同的原因，分別與評價性和實效性有關。首先，根據這裏採用的規範性分析，實質性個人自由至關重要。根據這一觀點，一個社會成功與否，主要應根據該社會成員所享有的實質性自由來評價。這一評價性立場不同於傳統的規範性分析，後者注重的是其它變數，例如效用、或程序性自由、或實際收入。

擁有更大的自由去做一個人所珍視的事，（1）對那個人的全面自由本身就具有重要意義；（2）對促進那個人獲得有價值的成果的機會也是重要的。上述兩項都關係到評價這個社會的成員的自由，因而對判斷這個社會的發展有決定性意義。選擇這一規範性焦點的理由（特別是按照個人自由及其社會相關因素來看待正義）將在第 3 章做更充分的考察。

把實質自由看得如此極端重要的第二個理由是，自由不僅是評價成功或失敗的基礎，它還是個人首創性和社會有效性的主要決定因素。更多的自由可以增強人們自助的能力以及他們影響這個世界的能力。而這些對發展過程是極為重要的。

……

以人們享有的實質自由來看待發展，對於我們理解發展過程以及選擇促進發展的方式和手段，都具有極其深遠的意義。在評價性層面，這意味著需要從消除使社會成員痛苦的各種不自由的角度，來判斷有關發展的要求、發展的過程，按這一觀點，與戰勝這些不自由的歷史，並無實質區別。雖然這一歷史過程決不是與經濟增長以及物質與人力資本的積累無關的，但它在內容和範圍上都大大超出了那些變數。

在評價發展時聚焦於自由，並不意味著存在一個唯一的而且精確的關於發展的「標準」，並且按此標準總是可以對各種不同的發展經驗進行比較和排序。給定自由的不同組成部分的異質性以及有必要注意到不同個人對不同自由的需要，對怎樣排序總會有截然相反的觀點。以自由看待發展思想的目的，並不是對所有的狀態——或者所有可能的情況——進行比較得到「全域排序」，而是要引起對發展過程的那些重要方面的注意，其中的每一個方面都值得注意。即使在給予這樣的注意之後，毫無疑問，還是會有不同的可能的全域排序，對滿足我們的目標來說，這並不是一件令人難堪的事。

（節選自〔印度〕阿瑪蒂亞．森著，任賾等譯《以自由看待發展》，中國人民大學出版社 2002 年版）

編選說明 ●●●

本篇選自阿瑪蒂亞・森《以自由看待發展・導論》。阿瑪蒂亞・森（1933—），印度經濟學家，1998 年因為在福利經濟學上的貢獻獲得諾貝爾經濟學獎。《以自由看待發展》是森的一部里程碑式的著作。他把發展可做是擴展人們享有的真實自由的一個過程，發展的首要目的是自由，自由是促進發展的不可或缺的重要手段，而自由是人們能過自己願意過的那種生活的可行能力，即享受人們有理由珍視的那種生活的可行能力，它包括免受困苦——諸如飢餓、營養不良、可避免的疾病、過早死亡之類——基本的可行能力以及能夠識字算數、享受政治參與等等的自由。阿瑪蒂亞・森以人們享有的實質自由來看待發展，是對傳統發展觀的重大突破。對我們理解發展過程以及選擇促進發展的方式和手段，都具有極其深遠的意義。

M·列維

後來者的優勢與劣勢

後來者首要的優勢主要在於其現代化過程中不再是像內源發展者所面臨的未開發的領域。後來者面對的是不同的問題——許多問題非常不同——但是由於它們對自身社會的狀況與現代化社會狀況之間的差異不可避免地有所觀察和認識，所以後來者所具有的一些要素觀念參與到了這種轉變過程之中。第二個優勢是，對於後來者來說不可避免地存在借鑒的可能性，至少是在制定計劃的初步知識、資本積纍、新原料和機器，普通技術以及組織的連結結構等方面都具有這種可能性。

第三個優勢與此緊密相連，即後來者能夠跳躍過內源發展者必經的現代化過程的一些早期階段。後來者處於能夠利用最新發明的地位。這種優勢——但是並非必然的，尤其在現代化的早期階段——常常由於避免了最初的商品廢棄問題而等同於大量的資本形成。但是，並非不重要的是，能夠利用社會結構中的最新發明的優勢，即使包括創造能力，也沒有被無論是借鑒者還是發明者完全利用。例如，沒有一個非現代化國家會對一般學校系統和理所當然的公立學校系統的需要一無所知。

後來者的第四個優勢還包括對現代化過程的前景的認識。對實現這些變革最感興趣的非現代化社會至少可以通過指出他們推動的這些變革的成果前景而獲得援助和信心支持。實際上他們不一定知道他們在做什麼，但是如果他們能夠思考，他們身體力行並說服其它社會成員，就協調與控制而言，這種實際優勢本來就存在。

第五個優勢不僅在於後來者處於能夠借鑒其它地方發展出來的要素，當然還在於較現代化的社會也處於借出或給予幫助的地位。如果是這樣傾斜的話。當然，這是人們能夠在開始就分辨出後來者的事實基礎上的一個平庸的演繹推理。但是，不平庸的是，在某種程度上，一些較現代化的社會總是被推動著借出或者給予後來者以幫助。有時這種動機並不採取對後來者有吸引力的計算方式，但是無論是否採取類似的方式，從現代化的過程的進展觀點來看它確實構成一種優勢。

後來者的劣勢同樣是明顯的。首先是規模問題。如果要實現向現代化狀態轉變的前景，諸如教育設施、交通工具等方面的發展必須相當大規模地創建。而且，即使這種轉變將不會是順利的和容易的，這些要素也必須以較大規模的方式試建。內源發展者的發展方式過去之後這些要素按部就班的發展已經不大可能。

對於後來者來說第二個特殊問題是社會各個層次和部分的相互依賴問題，在這樣的社會中現代化的過程必然導致變革的發生。儘管具有借鑒現代化國家的先例的優勢，非現代化國家在現代化過程中的整個圖景仍然是清晰的。可以預料，雖然它們能夠從已知的這方面獲得好處，但是我們已經知道其社會科學領域非常薄弱，而且甚至總是缺乏交流。除了這個小小的認知上的不幸所包含的因素，還有一個更敏感的問題。非現代化社會尤其或者處於現代化過程之中或者將要進入這個過程的時候看到了它們之前的現代化過程的許多不同結果。這些結果在不同程度上吸引著它們，並且幾乎不可避免地，普通的領導人、有影響的人物或者一般的社會成員都迷信這樣一種觀念，即使他們能夠在得到他們所想要的東西的同時拋棄其餘的部分。結果可能是在新老因素中引起爆炸性的相互影響。雖然瞭解現代化的結果是一個優勢，而且雖然這只是一個後來者才具有而內源發展者沒有的優勢，但是後來者所具有的一個特殊劣勢在於它們比內源發展者更可能認為它們知道它們在向何處去。正是其計劃和結果之間的差異對於它們來說造成了一種特殊的破壞。

最後，對於後來者來說還有第三個特殊的劣勢。高度現代化社會已經達到的水準與後來者在一定程度上的成功而達到的水準之間的差距必然長期延續下去，這對於後來者來說必將是一個特殊的挫折。即使這種差距在相對意義上正在縮小，但是在絕對意義上，隨著時間的發展，這種差距可能在擴大而不是縮小。進行得如此艱苦但是仍然趕不上。這特別影響到後來者的士氣。

（節選自謝立中、孫立平主編《二十世紀西方現代化理論文選》，上海三聯書店 2002 年版）

編選說明 ● ● ●

本篇選自 M.列維《現代化的後來者》，篇名為編者所加。M.列維是美國經濟學家和社會學家，主要從事現代化理論研究，《現代化的後來者》是他的代表作之一。《現代化的後來者》一文認為現代化的條件並不是一成不變的，早髮型現代化的前提條件不一定就是後發型現代化的前提條件。因此，不必照搬目前發達國家的某些模式。在本篇中，作者全面總結歸納了後髮式現代化的優勢與劣勢，即後發優勢與後發劣勢，進一步發展了格爾申克隆提出的後發優勢理論。

邁克爾·托達羅

發展意味著全部範圍的變化

發展不純粹是一個經濟現象。從最終意義上說，發展不僅僅包括人民生活的物質和經濟方面，還包括其它更廣的方面。因此，應該把發展看為包括整個經濟和社會體制的重組和重整在內的多維過程。除了收入和產量的提高外，發展顯然還囊括制度、社會和管理結構的基本變化以及人們的態度，在許多情況下甚至還有人們習慣和信仰的基本變化。最後，雖然通常是從國家範圍來看發展的，但發展的普遍實現也可能使得對國際經濟和社會體系進行根本性修正成為必要。

……

一國的發展方面的問題是：貧困情況怎樣？失業情況怎樣？不平等情況怎樣？如果這三方面都顯著地減少了，那麼毫無疑問，該國是處於發展階段。如果這些中心問題中某一個或兩個問題變得更糟了，尤其是如果這三個問題都變得更糟了，那麼稱這種情況為「發展」是會令人困惑，哪怕是人均收入翻一番。

……

從總體上看，不發達的狀況就是隨著越來越多的人獲得有關其它社會發展的信息並認識到剷除貧困、痛苦和疾病的技術和制度手段確實有存在的必要時，人們意識到自己處於被剝奪的狀況就特別地顯得令人難以忍受。

所以，我們必須把發展看成是涉及社會結構、人的態度和國家制度以及加速經濟增長、減少不平等和根除絕對貧困等主要變化的多方面過程。發展從其實質上講，必須代表全部範圍的變化。通過這個變化，整個社會制度（在這個制度內變成了個人和社會集團的多樣化基本需求和欲望）把人們普遍不滿意的生活條件變成被認為物質上和精神上都「更好」的生活狀況或條件。

至少三個基本部分或三個重要的價值標準應該對我們理解發展的「內在」涵義有著基礎的和實際的指南作用。這些重要的價值標準是維持生存、自我尊重和自由。它們代表了所有個人和社會所尋求的共同目標。它們也與幾乎所有社會和文化都一值得到表現的人類的基本需要相聯繫。

……

一切經濟活動的一個基本功能就是盡可能地為多數人提供用於克服由於缺乏食物、住房、衛生保健和保護而引起的失望的痛苦的手段。就這個限度而論，我們可以聲明，經濟發展是改進生活品質的必要條件。如果沒有個人和社會水準上的持續的、不斷的經濟進步，要實現人力資源的潛力是不可能的。人們顯然得「擁有足夠的東西來換取更好的生活」。因此，提高人均收入，消除絕對貧困，創造更好的就業機會和減輕收入不平等狀況就成為發展的必要條件但不是充分條件。

……

發展既是一個物質現實又是一種心理狀況。在這種情況下，通過社會的、經濟的和制度過程的某種組合，社會已經獲得了為達到更好的生活的手段。無論這種更好生活的具體成分是什麼，所有社會的發展至少必須具有以下三個目標：

1．增加像食物、住房、衛生保健和保護等維持生存的基本物品以及擴大這些維持生存基本物品的分配範圍。

2．提高生活水準。除了較高的收入外，還包括提供更多的工作機會，更好的教育條件，更多地注意文化和人類價值。所有這些將不僅為增進物質福利服務，而且也為創造更大的個人和國家的自我尊重服務。

3．通過使個人和國家不僅擺脫對其它人和其它民族的屈從和依附而且也擺脫對愚昧和人類痛苦的力量的屈從和依附來擴大他們經濟和社會的選擇範圍。

（節選自〔美〕邁克爾·托達羅著，印金強等譯《經濟發展與第三世界》，中國經濟出版社 1992 年版）

編選說明 •••

本篇選自邁克爾·托達羅《經濟發展與第三世界》，篇名為編者所加。邁克爾·托達羅（1942—），美國經濟學家，主要從事發展經濟學的研究，他的預期收入模型（托達羅人口流動模型）最早解釋了在城市失業上陞和城市工資剛性的情況下，人口不斷流動在經濟上的合理性。主要著作有《發展中國家的內部人口流動》《發展中世界的經濟學》等，《經濟發展與第三世界》是一部國際性的經濟發展教科書。人類對發展的認識是在曲折中不斷深化的。傳統的經濟理論把經濟增長等同於發展，為此付出了巨大的代價。托達羅對發展的理解和認識，雖然並不全面，但也是對發展認識的深化。

約瑟夫・斯蒂格利茨

為什麼 GDP 增長不等於社會進步

國內生產總值（GDP）是使用最廣泛的衡量經濟活動的標準。GDP 的計算是有國際標準的，而且研究人員主要關注的是 GDP 的統計和概念基礎。可是，雖然 GDP 主要衡量市場生產，但經常被看待成一個衡量經濟狀況的標準，混淆二者有可能令人對人們的境況產生誤解並導致錯誤的決策。

用金錢衡量經濟表現和生活水準的做法已經開始在我們的社會中發揮非常重要的作用。造成這一狀況的原因是，用金錢評價商品和服務易於把性質非常不同的數量加在一起。我們知道蘋果汁和 DVD 播放機的價格後，就可以把它們的價值加起來，然後用一個數字對生產和消費作出表述。可是，市場價格不止是一種計算工具。經濟理論告訴我們，當市場運轉正常時，一個市場價格對另一個市場價格的比率反映出購買者對這兩種商品的偏好。此外，GDP 記錄經濟中的所有製成品，不管它們是由家庭、公司還是政府消費的。因此，用價格評價它們似乎是一個只用一個數位記錄社會在某個特定時刻繁榮狀況的好辦法。此外，在保持價格不變的情況下觀察 GDP 所記錄的商品和服務數量如何隨著時間的推移而變化似乎是一個表述社會生活水準實際上如何演化的合理辦法。

事實上，情況要更加複雜。首先，有些商品和服務是無價格可言的（比如政府提供免費健康保險，或者家庭養育孩子），由此引出了如何估價這些服務的問題。其次，即使有市場價格，它們也可能偏離社會的基本估價。特別是如果特定產品的消費和生產影響整個社會，那麼個人為這些商品支付的價格將不同於它們對整個社會的價值。由生產和消費活動造成的環境破壞並未反映在市場價格中，這就是一個眾所週知的例子。

還有一個問題。談論「價格」和「數量」的概念或許簡單易懂，可是定義和衡量它們實際上如何變化是完全不同的事情。事實上，隨著時間的推移，許多產品會有變化——它們要麼徹底消失了，要麼增加了新特點。在信息和通訊技術等領域，品質可以非常迅速地發生變化。還有一些產品的品質複雜，而且是多方面的，因此難以衡量，比如醫療服務、教育服務、研究活動和金融服務等。在我們這個時代，有越來越多的買賣活動是通過互聯網、在大減價的時候和在廉價商店中進行的，由此為收集資料造成困難。因此，正確地記錄品質變化對統計人員來說是一項巨大的挑戰，然而這對衡量實際收入和實際消費這些決定生活狀況的關鍵因素是至關重要的。低估值，低估品質提高的狀況等同於高估通脹率，也就是等同於低估實際收入。例如，在 20 世紀 90 年代中期，一份評估美國衡量通脹情況的報告（博斯金委員會報告）說，商品和服務品質的提高沒有得到充分考慮這一情況導致年通脹率被高估了 0.6%。這導致美國消費價格指數發生一系列改變。

歐洲人的討論趨向於相反的方向：人們批評官方價格統計數字低估了通脹。這在一定程度上是因為人們對通脹的感覺不同於消費價格指數體現的全國平均水準。還有一個原因是，人們覺得統計人員過度計入了產品品質提高這一因素，因而對國民實際收入的描述過於美好。

為了讓市場價格反映消費者對商品和服務的評價，還有一個必要的條件，那就是消費者可以自由選擇和處理相關信息。不用想就知道，這一條件不是總能得到滿足的。複雜的金融產品就是一個由於消費者不瞭解而使市場價格不能傳達正確經濟信號的例證。電信公司提供複雜和不斷變化的捆綁服務是表明難以確保價格信號具有透明性和可比性的又一例證。

上文考慮的所有這些因素意味著：在時間和空間對比上要謹慎解讀價格信號。對於許多目標來說，價格信號並不是一種計算數量之和的有效手段，這並不意味著利用市場價格來建立經濟表現的衡量標準往往是有缺陷的。不過它的確說明要謹慎，尤其是要謹慎對待 GDP 這個經常被過分強調的衡量標準。

本章提出了 5 個方法來解決 GDP 作為生活水準指標所存在的一些缺陷。第一，在國民核算中強調 GDP 之外的其它既定指標。第二，增強對關鍵生產活動的實證衡量，特別是在提供公共醫療衛生服務和教育方面。第三，體現家庭視角。這對於考慮生活水準是最相關的因素。第四，把收入、消費和財富分佈的信息加進記錄這些因素一般發展變化的資料。最後，擴大衡量範圍。特別要注意的是，很大一部分經濟活動發生在市場之外，因此往往沒有體現在既定的國民核算中。不過，如果沒有市場，就沒有市場價格，那衡量這類活動的價值就需要估算價值。這些估算價值是有意義的，但卻是要付出代價的。

我們將首先討論估算價值，然後再轉向其它方面。

（節選自〔美〕約瑟夫・斯蒂格利茨等著，阮江平等譯《對我們生活的誤測：為什麼 GDP 增長不等於社會進步》，新華出版社 2011 年版)

編選説明

本篇選自約瑟夫・斯蒂格利茨等《對我們生活的誤測：為什麼 GDP 增長不等於社會進步》。斯蒂格利茨（1943—），美國經濟學家，為信息經濟學創立作出了重大貢獻，2001 年獲諾貝爾經濟學獎。2008 年 2 月，法國總統薩科齊請諾貝爾經濟學獎獲得者斯蒂格利茨和阿瑪蒂亞・森與法國經濟學家讓—保羅・菲圖西一起組建了一個名為「經濟表現與社會進步衡量委員會」的國際專家小組，研究全球最廣泛採用的經濟活動衡量標準——國內生產總值（GDP）——是否真是衡量經濟和社會進步的可信指標。《對我們生活的誤測：為什麼 GDP 增長不等於社會進步》就是該研究成果的精華部分。

世界環境與發展委員會

走向可持續發展

可持續發展是既滿足當代人的需要，又不對後代人滿足其需要的能力構成危害的發展。它包括兩個重要的概念：

「需要」的概念，尤其世界上最貧困人民的基本需要，應將此放在特別優先的地位來考慮；

「限制」的概念，技術狀況和社會組織對環境滿足眼前和將來需要的能力施加的限制。

因此，世界各國——發達國家或發展中國家，市場經濟國家或計劃經濟國家，其經濟和社會發展的目標必須根據可持續性的原則加以確定，解釋可以不一，但必須有一些共同的特點，必須從可持續發展的基本概念上和實現可持續發展的大戰略上的共同認識出發。

發展就是經濟和社會循序前進的變革，從自然的意義上說，可持續發展的道路即使處在僵硬的社會和政治條件下，在理論上也是可以實行的。但是，除非發展政策重視資源供應以及成本和利益分配的變化，否則自然的可持續性是不能實現的。雖然狹義的自然可持續性意味著對各代人之間社會公正的關注，但必須合理地將其延伸到對每一代人內部的公正的關注。

人類需求和欲望的滿足是發展的主要目標。發展中國家大多數人的基本需求——糧食、衣服、住房、就業——沒有得到滿足。除了他們的基本需求外，這些人民對提高生活品質有正當的願望。一個充滿貧困和不平等的世界將易發生生態和其它的危機。可持續的發展要求滿足全體人民的基本需要和給全體人民機會以滿足他們要求較好生活的願望。

只有當各地的消費水準重視長期的可持續性，超過基本的最低限度的生活水準才能持續。然而，我們當中許多人的生活超過了世界平均的生態條件，如我們利用能源的方式。人們理解的需要是由社會和文化條件確定的，可持續發展要求促進這樣的觀念，即鼓勵在生態可能的範圍內的消費標準和所有的人可以合理地嚮往的標準。

滿足基本的需要部分地取決於實現全面的發展潛力。很明顯，可持續發展要求在基本需要沒有得到滿足的地方實現經濟增長，而在其它地方，假如增長的內容反映了可持續性的廣泛原則以及不包含對他人的剝削，那麼可持續發展就能與經濟增長相一致，但是增長本身是不夠的，高度的生產率和普遍貧困可以共存，而且會危害環境，因此，可持續發展要求：社會從兩方面滿足人民需要，一是提高生產潛力，二是確保每人都有平等的機會。

人口增長會給資源增加壓力，並在掠奪資源普遍發生的地區減慢生活水準的提高。不過，這不僅僅是個人口規模的問題，而且也是個資源配置問題。只有人口發展與生態系統變化著的生產潛力相協調，可持續發展才能夠進行下去。

社會可以有許多方法危害後代人滿足其基本需要的能力，例如過度開發資源。技術發展的方向能解決一些迫在眉睫的問題，但卻會導致更大的問題的出現，盲目的發展可能會危害許多人的利益。

在發展過程中，定居農業、水道改向、礦物提煉、餘熱和有毒氣體排入大氣、森林商業化、遺傳控制都是人類干擾自然系統的例子。不久以前，這類干擾還只是小規模的，其影響也是有限的，但現在的干擾在規模和影響兩方面都更加強烈，並從局部和全球兩方面嚴重地威脅生命支持系統。這種現象不是一定要發生的，至少，可持續的發展不應當危害支持地球生命的自然系統：大氣、水、土壤和生物。

就人口或資源利用而言，沒有一個固定的限度，超過這個限度就會發生生態災難。能源、物資、水和土地的利用都有不同的限度，其中許多以成本上陞和收益下降的形式，而不是以資源基礎的突然喪失的形式表現出來。知識的累積和技術的開發會加強資源基礎的負荷能力，但是最終的限度是有的。可持續性要求，在達到這些限度之前的長時期裏，全世界必須保證公平地分配有限的資源和調整技術上的努力方向以減輕壓力。

很明顯，經濟增長和發展涉及自然生態系統的變化，各地區每種生態系統不能完整無缺地加以保護。如果對開發已經作了規劃並考慮到了對土壤流失速度、水域和遺傳損失的影響的話，耗竭流域中的某一部分的森林，並擴大到一些地方，那不是一件壞事。總而言之，像森林和魚類這樣的可再生資源，除非利用率是在再生和自然增長的限度內，否則不應耗竭。但是多數可再生資源只是複雜的和互相聯結起來的生態系統的一個組成部分，在考慮了開發對整個系統的影響之後，必須確定最高的可持續產量。

至於像礦物燃料和礦物這樣的不可再生資源，對它們的利用則減少了供子孫後代將來利用的儲存量，但這並不意味著不應該利用這種資源，總的來說，耗竭的速率應考慮那種資源的臨界性，可將耗竭減少至最小程度的技術的可利用性和可得到的替代特的可能性，土地不應退化到超過合理恢復的能力。對礦物燃料來說，其耗竭的速度以及對其再迴圈和節省的強調都應制定出標準，以確保得到可接受的替代物之前，資源不會枯竭。可持續發展要求，不可再生資源耗竭的速率應盡可能少地妨礙將來的選擇。

發展趨向於使生態系統簡化和減少物種的多樣性。而物種一旦滅絕，它們就不可再生。動植物物種的喪失會大大的限制後代人的選擇機會，所以可持續發展要求保護動植物物種。

所謂的免費物質如大氣和水也是資源。生產過程中的原材料和能源只有部分地被轉換為有用的產品，其餘部分則成為廢棄物。可持續發展要求：為了保持生態系統的完整性，要把對大氣品質、水和其它自然因素的不利影響減少到最小程度。

實質上，可持續發展是一種變化過程。在這個過程中，資源的開發、投資的方向、技術開發方向和機構的變化都是互相協調的，並增強目前和將來滿足人類的需要和願望的潛力。

（節選自世界環境與發展委員會著，王之佳等譯《我們共同的未來》，吉林人民出版社 1997 年版）

編選說明 •••

本篇選自《我們共同的未來》。1983 年 12 月，聯合國於成立了由挪威首相布倫特蘭夫人為主席的「世界環境與發展委員會」，對世界面臨的問題及應採取的戰略進行研究。1987 年，「世界環境與發展委員會」發表了題為《我們共同的未來》的報告。該報告並以「持續發展」為基本綱領，以豐富的資料論述了當今世界環境與發展方面存在的問題，提出了處理這些問題的具體的和現實的行動建議，第一次提出了「可持續發展」的概念，把人們從單純考慮環境保護引導到把環境保護與人類發展切實結合起來，實現了人類有關環境與發展思想的重要飛躍，對各國政府和人民的政策選擇具有重要的參考價值。

管仲

乘馬（節選）

凡立國都，非於大山之下，必於廣川之上。高毋近旱，而水用足；下毋近水，而溝防省；因天材，就地利，故城郭不必中規矩，道路不必中準繩。

……

地者，政之本也。朝者，義之理也。市者，貨之準也。黃金者，用之量也。諸侯之地，千乘之國者，器之制也。五者其理可知也，為之有道。

地者，政之本也。是故地可以正政也。地不平均和調，則政不可正也；政不正，則事不可理也。

春秋冬夏，陰陽之推移也；時之短長，陰陽之利用也；日夜之易，陰陽之化也。然則陰陽正矣，雖不正，有餘不可損，不足不可益也。天地，莫之能損益也。然則可以正政者地也，故不可不正也。正地者，其實必正。長亦正，短亦正，小亦正，大亦正，長短大小盡正。正不正，則官不理，官不理則事不治，事不治則貨不多。是故何以知貨之多也？曰事治。何以知事之治也？曰貨多。貨多事治，則所求於天下者寡矣，為之有道。

……

市者，貨之準也，是故百貨賤，則百利不得，百利不得，則百事治；百事治，則百用節矣。是故事者生於慮，成於務，失於傲。不慮則不生，不務則不成，不傲則不失，故曰：市者可以知治亂，可以知多寡，而不能為多寡。為之有道。

黃金者，用之量也。辨於黃金之理，則知侈儉，知侈儉，則百用節矣。故儉則傷事，侈則傷貨。儉則金賤，金賤則事不成，故傷事。侈則金貴，金貴則貨賤，故傷貨。貨盡而後知不足，是不知量也；事已，而後知貨之有餘，是不知節也。不知量，不知節，不可。為之有道。

地之不可食者，山之無木者，百而當一。涸澤，百而當一。地之無草木者，百而當一。樊棘雜處，民不得入焉，百而當一。藪，鐮纏得入焉，九而當一。蔓山，其木可以為材，可以為軸，斤斧得入焉，九而當一。汎山，其木可以為棺，可以為車，斤斧得入焉，十而當一。流水，網罟得入焉，五而當一。林，其木可以為棺，可以為車，斤斧得入焉，五而當一。澤，網罟得入焉，五而當一。命之曰地均，以實數。

……

距國門以外，窮四竟之內，丈夫二犁，童五尺一犁，以為三日之功。正月令農始作，服於公田農耕。及雪釋，耕始焉，芸卒焉。士，聞見、博學、意察，而不為君臣者，與功而不與分焉。賈，知賈之貴賤，日至於市，而不為官賈者，與功而不與分焉。工，治容貌功能，日至於市，而不為官工者，與功而不與分焉。不可使而為工，則視貨離之實，而出夫粟。

是故智者知之，愚者不知，不可以教民；巧者能之，拙者不能，不可以教民。非一令而民服之也，不可以為大善；非夫人能之也，不可以為大功。是故非誠賈不得食於賈，非誠工不得食於工，非誠農不得食於農，非信士不得立於朝。是故官虛而莫敢為之請，君有珍車珍甲而莫之敢有；君舉事，臣不敢誣其所不能。君知臣，臣亦知君知己也，故臣莫敢不竭力俱操其誠以來。

道曰，均地分力，使民知時也。民乃知時日之蚤晏，日月之不足，飢寒之至於身也。是故，夜寢蚤起，父子兄弟不忘其功，為而不倦，民不憚勞苦。故不均之為惡也，地利不可竭，民力不可殫。不告之以時，而民不知，不道之以事而民不為。與之分貨則民知得正矣；審其分則民盡力矣。是故不使而父子兄弟不忘其功。

聖人之所以為聖人者，善分民也。聖人不能分民，則猶百姓也。於己不足，安得名聖。是故有事則用，無事則歸之於民，唯聖人為善托業於民。民之生也，闢則愚，閉則類。上為一，下為二。

（節選自管仲著，姜濤注《管子新注》，齊魯書社 2009 年版）

編選說明 • • •

本篇選自《管子・乘馬》。乘馬為運算籌畫之意。本篇闡述了治理國家需要運籌的一些重大經濟問題，提出了比較系統的治國理財的基本經濟政策。作者認為，搞經濟謀劃要通過細緻的運算，做到「知量」、「知節」，力求制定的經濟措施切實可行。

荀子

富國（節選）

足國之道，節用裕民，而善臧其餘。節用以禮，裕民以政。彼裕民，故多餘。裕民則民富，民富則田肥以易，田肥以易則出實百倍。上以法取焉，而下以禮節用之，餘若丘山，不時焚燒，無所臧之。夫君子奚患乎無餘？故知節用裕民，則必有仁聖賢良之名，而且有富厚丘山之積矣。此無他故焉，生於節用裕民也。不知節用裕民則民貧，民貧則田瘠以穢，田瘠以穢則出實不半。上雖好取侵奪，猶將寡獲也。而或以無禮節用之，則必有貪利糾之名，而且有空虛窮乏之實矣。此無他故焉，不知節用裕民也。康誥曰：「弘覆乎天，若德裕乃身。」此之謂也。

……

輕田野之稅，平關市之征，省商賈之數，罕興力役，無奪農時，如是則國富矣。夫是之謂以政裕民。

……

今之世而不然：厚刀布之斂，以奪之財；重田野之賦，以奪之食；苛關市之征，以難其事。不然而已矣，有掎絜伺詐，權謀傾覆，以相顛倒，以靡敝之。百姓曉然皆知其汙漫暴亂，而將大危亡也。是以臣或弒其君，下或殺其上，粥其城，倍其節，而不死其事者，無他故焉，人主自取之。詩曰：「無言不讎，無德不報。」此之謂也。

兼足天下之道在明分：掩地表畝，剌屮殖穀，多糞肥田，是農夫眾庶之事也。守時力民，進事長功，和齊百姓，使人不偷，是將率之事也。高者不旱，下者不水，寒暑和節，而五穀以時孰，是天之事也。若夫兼而覆之，兼而愛之，兼而制之，歲雖凶敗水旱，使百姓無凍餒之患，則是聖君賢相之事也。

天下之公患，亂傷之也。胡不嘗試相與求亂之者誰也？我以墨子之「非樂」也，則使天下亂；墨子之「節用」也，則使天下貧，非將墮之也，說不免焉。墨子大有天下，小有一國，將蹙然衣粗食惡，憂戚而非樂。若是則瘠，瘠則不足欲；不足欲則賞不行。墨子大有天下，小有一國，將少人徒，省官職，上功勞苦，與百姓均事業，齊功勞。若是則不威；不威則罰不行。賞不行，則賢者不可得而進也；罰不行，則不肖者不可得而退也。賢者不可得而進也，不肖者不可得而退也，則能不能不可得而官也。若是，則萬物失宜，事變失應，上失天時，下失地利，中失人和，天下敖然，若燒若焦，墨子雖為之衣褐帶索，嚽菽飲水，惡能足之乎？既以伐其本，竭其原，而焦天下矣。

故先王聖人為之不然：知夫為人主上者，不美不飾之不足以一民也，不富不厚之不足以管下也，不威不強之不足以禁暴勝悍也，故必將撞大鐘，擊鳴鼓，吹笙竽，彈琴瑟，以塞其耳；必將雕琢刻鏤，黼黻文章，以塞其目；必將芻豢稻粱，五味芬芳，以塞其口。然後眾人徒，備官職，漸慶賞，嚴刑罰，以戒其心。使天下生民之屬，皆知己之所願欲之舉在是於也，故其賞行；皆知己之所畏恐之舉在是於也，故其罰威。賞行罰威，則賢者可得而進也，不肖者可得而退也，能不能可得而官也。若是則萬物得宜，事變得應，上得天時，下得地利，中得人和，則財貨渾渾如泉源，汸汸如河海，暴暴如丘山，不時焚燒，無所臧之。夫天下何患乎不足也？故儒術誠行，則天下大而富，使而功，撞鐘擊鼓而和。《詩》曰：「鐘鼓喤喤，管磬瑲瑲，降福穰穰，降福簡簡，威儀反反。既醉既飽，福祿來反。」此之謂也。故墨術誠行，則天下尚儉而彌貧，非鬥而日爭，勞苦頓萃，而愈無功，愀然憂戚非樂，而日不和。《詩》曰：「天方薦瘥，喪亂弘多，民言無嘉，憯莫懲嗟。」此之謂也。

（節選自荀況著，張覺校注《荀子校注》，嶽麓書社 2006 年版）

編選說明 • • •

本篇選自《荀子．富國》，是荀況經濟思想的重要著述。荀子（約公元前 313—前 238）名況，字卿，戰國末期趙國猗氏（今山西安澤）人，著名思想家、教育家，儒家代表人物之一。荀況認為，富國的基本途徑是節用裕民。提出「節用以禮」，「裕民以政」。其核心思想就是開源節流，開源的重點是發展農業生產，節流要節省君主和國家的開支，減少不事農業生產的工商業和士大夫人數，社會剩餘產品要妥為儲備。只有這樣，才能發展生產，使百姓富裕起來。

擴展閱讀 • • •

1. W.羅斯托：《從起飛進入持續增長的經濟學》，四川人民出版社 2000

年。

2. 羅伯特.索洛：《經濟增長理論：一種解說》，上海三聯書店 1998 年。
3. 希歐多爾.舒爾茨：《改造傳統農業》，商務印書館 2006 年。
4. 麥金農：《經濟發展中的貨幣》上海三聯書店 1997 年。
5. 詹姆斯.道等編：《發展經濟學的革命》，上海人民出版社 2000 年。
6. 阿瑪蒂亞.森：《貧困與饑荒：論權利與剝奪》，商務印書館 2010 年。
7. D.梅多斯：《增長的極限》，商務印書館 1984 年。

三 ●●● 市場篇

馬克思

價值規律

不同商品的價格不管最初用什麼方式來互相確定或調節，它們的變動總是受價值規律的支配。在其它條件相同的情況下，如果生產商品所必需的勞動時間減少了，價格就會降低；如果增加了，價格就會提高。

……

為了使種類相同，但各自在不同的帶有個別色彩的條件下生產的商品的市場價格，同市場價值相一致，而不是同市場價值相偏離，即既不高於也不低於市場價值，這就要求各個賣者互相施加足夠大的壓力，以便把社會需要所要求的商品量，也就是社會能夠按市場價值支付的商品量提供到市場上來。如果產品量超過這種需要，商品就必然會低於它們的市場價值出售；反之，如果產品量不夠大，就是說，如果賣者之間的競爭壓力沒有大到足以迫使他們把這個商品量帶到市場上來，商品就必然會高於它們的市場價值出售。如果市場價值發生了變化，總商品量得以出售的條件也就會發生變化。如果市場價值降低了，社會需要(在這裏總是指有支付能力的需要)平均說來就會擴大；並且在一定限度內能夠吸收較大量的商品。如果市場價值提高了，商品的社會需要就會縮減，就只能吸收較小的商品量。因此，如果供求調節著市場價格，或者確切地說，調節著市場價格同市場價值的偏離，那麼另一方面，市場價值調節著供求關係，而不是顛倒過來。或者說，調節著一個中心，供求的變動使市場價格圍繞著這個中心發生波動。

……

既然社會要滿足需要，並為此目的而生產某種物品，它就必須為這種物品進行支付。事實上，因為商品生產是以分工為前提的，所以，社會購買這些物品的方法，就是把它所能利用的勞動時間的一部分用來生產這些物品，也就是說，用該社會所能支配的勞動時間的一定量來購買這些物品。社會的一部分人，由於分工的緣故，要把他們的勞動用來生產這種既定的物品；這部分人，當然也要從體現在各種滿足他們需要的物品上的社會勞動中得到一個等價物。但是，一方面，耗費在一種社會物品上的社會勞動的總量，即總勞動力中社會用來生產這種物品的部分，也就是這種物品的生產在總生產中所佔的數量，和另一方面，社會要求用這種物品來滿足的需要的規模之間，沒有任何必然的聯繫，而只有偶然的聯繫。儘管每一物品或每一定量某種商品都只包含生產它所必需的社會勞動，並且從這方面來看，所有這種商品的市場價值也只代表必要勞動，但是，如果某種商品的產量超過了當時社會的需要，社會勞動時間的一部分就浪費掉了，這時，這個商品量在市場上代表的社會勞動量就比它實際包含的社會勞動量小得多。(只有在生產受到社會實際的預定的控制的地方，社會才會在用來生產某種物品的社會勞動時間的數量，和要由這種物品來滿足的社會需要的規模之間，建立起聯繫。也需要一種懲罰機制，來約束那些生產品質不好的生產。從而供給也要略大於需求。)因此，這些商品必然要低於它們的市場價值出售，其中一部分甚至會根本賣不出去。如果用來生產某種商品的社會勞動的數量，同要由這種產品來滿足的特殊的社會需要的規模相比太小，結果就會相反。但是，如果用來生產某種物品的社會勞動的數量，和要滿足的社會需要的規模相適應，從而產量也和需求不變時再生產的通常規模相適應，那麼這種商品就會按照它的市場價值來出售。商品按照它們的價值來交換或出售是理所當然的，是商品平衡的自然規律。應當從這個規律出發來說明偏離，而不是反過來，從偏離出發來說明規律本身。

（節選自馬克思著，中共中央馬克思恩格斯列寧斯大林著作編譯局譯《資本論》，人民出版社 2004 年版）

編選說明 •••

本篇選自卡爾．馬克思《資本論》(第 3 卷)，篇名為編者所加。價格以價值為中心，圍繞價值上下波動，是價值規律在商品經濟條件下實際發生作用的具體表現形式。價值規律的發現，是馬克思在經濟學上的重大貢獻，是他對市場經濟運行規律的科學總結，對理解和把握市場經濟和資本主義社會的發展趨勢，具有重要的意義。

亞當·斯密

「看不見的手」的原理

各個人都不斷地努力為他自己所能支配的資本找到最有利的用途。固然，他所考慮的不是社會的利益，而是他自身的利益，但他對自身利益的研究自然會或者毋寧說必然會引導他選定最有利於社會的用途。

第一，每個人都想把他的資本投在盡可能接近他家鄉的地方，因而都盡可能把資本用來維持國內產業，如果這樣做他能取得資本的普通利潤，或比普通利潤少得有限的利潤。

所以，如果利潤均等或幾乎均等，每一個批發商人就都自然寧願經營國內貿易而不願經營消費品的國外貿易，寧願經營消費品國外貿易而不願經營運送貿易。投資經營消費品國外貿易，資本往往不在自己的監視之下，但投在國內貿易上的資本卻常在自己的監視之下。他能夠更好地瞭解所信託的人的品性和地位，即使偶然受騙，也比較清楚地瞭解他為取得賠償所必須根據的本國法律。至於運送貿易，商人的資本可以說分散在兩個外國，沒有任何部分有攜回本國的必要，亦沒有任何部分受他親身的監視和支配。譬如，阿姆斯特丹商人從克尼斯堡運送穀物至里斯本，從里斯本運送水果和葡萄酒至克尼斯堡，通常必須把他資本的一半投在克尼斯堡，另一半投在里斯本。沒有任何部分有流入阿姆斯特丹的必要。這樣的商人自然應當住在克尼斯堡或里斯本，只有某種非常特殊的情況才會使他選擇阿姆斯特丹作為他的住處。然而，由於遠離資本而感到的不放心，往往促使他把本來要運往里斯本的克尼斯堡貨物和要運往克尼斯堡的里斯本貨物的一部分，不計裝貨卸貨的雙重費用，也不計稅金和關稅的支付，運往阿姆斯特丹。為了親身監視和支配資本的若幹部分，他自願擔負這種特別的費用。也正由於這樣的情況，運送貿易占相當份額的國家才經常成為它通商各國貨物的中心市場或總市場。為了免除第二次裝貨卸貨的費用，商人總是儘量設法在本國市場售賣各國的貨物，從而在可能範圍內儘量使運送貿易變為消費品國外貿易。同樣，經營消費品國外貿易的商人，當收集貨物準備運往外國市場時，總會願意以均等或幾乎均等的利潤盡可能在國內售賣貨物的一大部分。當他這樣盡可能地使他的消費品國外貿易變為國內貿易時，他就可以避免承擔輸出的風險和麻煩。這樣一來，要是我可這樣說的話，本國總是每一國家居民的資本不斷繞之流通並經常趨向的中心，雖然由於特殊原因，這些資本有時從那中心被趕出來，在更遙遠地方使用。可是，我已經指出，投在國內貿易上的資本，同投在消費品國外貿易上的等量資本相比，必能推動更大量的國內產業，使國內有更多的居民能夠由此取得收入和就業機會。投在消費品國外貿易上的資本，同投在運送貿易上的等量資本相比，也有同樣的優點。所以，在利潤均等或幾乎均等的情況下，每個個人自然會運用他的資本來給國內產業提供最大的援助，使本國儘量多的居民獲得收入和就業機會。

第二，每個個人把資本用以支持國內產業，必然會努力指導那種產業，使其生產物盡可能有最大的價值。

勞動的結果是勞動對其對象或對施以勞動的原材料所增加的東西。勞動者利潤的大小，同這生產物價值的大小成比例。但是，把資本用來支持產業的人，既以牟取利潤為唯一目的，他自然總會努力使他用其資本所支持的產業的生產物能具有最大價值，換言之，能交換最大數量的貨幣或其它貨物。

但每個社會的年收入，總是與其產業的全部年產物的交換價值恰好相等，或者毋寧說，和那種交換價值恰好是同一樣東西。所以，由於每個個人都努力把他的資本盡可能用來支持國內產業，都努力管理國內產業，使其生產物的價值能達到最高程度，他就必然竭力使社會的年收入儘量增大起來。確實，他通常既不打算促進公共的利益，也不知道他自己是在什麼程度上促進哪種利益。由於寧願投資支持國內產業而不支持國外產業，他只是盤算他自己的安全；由於他管理產業的方式目的在於使其生產物的價值能達到最大程度，他所盤算的也只是他自己的利益。在這場合，像在其它許多場合一樣，他受著一隻看不見的手的指導，去盡力達到一個並非他本意想要達到的目的。也並不因為事非出於本意，就對社會有害。他追求自己的利益，往往使他能比在真正出於本意的情況下更有效地促進社會的利益。我從來沒有聽說過，那些假裝為公眾幸福而經營貿易的人做了多少好事。事實上，這種裝模作樣的神態在商人中間並不普遍，用不著多費唇舌去勸阻他們。

關於可以把資本用在什麼種類的國內產業上面，其生產物能有最大價值這一問題，每一個人處在他當地的地位，顯然能判斷得比政治家或立法家好得多。如果政治家企圖指導私人應如何運用他們的資本，那不僅是自尋煩惱地去注意最不需注意的問題，而且是僭取一種不能放心地委託給任何個人、也不能放心地委之於任何委員會或參議院的權力。把這種權力交給一個大言不慚地、荒唐地自認為有資格行使的人，是再危險也沒有了。

（節選自〔英〕亞當·斯密著，郭大力、王亞南譯《國民財富的性質和原因的研究》（下），商務印書館 1981 年版）

編選說明 •••

本篇選自亞當·斯密《國民財富的性質和原因的研究》，篇名為編者所加。在此，斯密首次以理性人為基礎，說明了市場機制的作用和結果。即在市場經濟活動中，儘管每個人追求的只是他自己的利益，但是他受著「一隻看不見的手」的指導，卻去盡力達到一個並非他本意想要達到的目的——促進社會的利益。斯密這一「看不見的手」的原理，是市場經濟理論的核心。此後，經濟學研究基本上是圍繞這一原理展開和發展的。

薩伊

供給自動創造需求

一個人通過勞動創造某種效用，從而把價值授與某東西。但除非別人掌握有購買這價值的手段，便不會有人賞鑒，有人出價購買這價值。上述手段由什麼東西組成呢？由其它價值組成，即由同樣是勞動、資本和土地的果實的其它產品組成。這個事實使我們得到一個乍看起來似乎是很離奇的結論，就是生產給產品創造需求。

假使一個商人說，我要把我的尼絨賣錢，我不把它賣別的東西。我們不難使他相信，除非他的顧客先把他們的產品賣了錢，否則他們拿不出錢來買他的尼絨。我們可以告訴他說，那邊的農民如果獲得豐收，就將買他的尼絨。至於要買多少，將看他們收成的好壞以為定。如果顆粒無收，就連一點點也買不起。此外，如果他不設法得到尼絨或其它貨物以作購買手段，他也沒力量買他們的羊毛或穀物。你說你只要錢，但我說你所需要的不是錢而是其它貨物。你要錢幹什麼呢彝不是要買原料嗎？不是要買你所經營的貨物嗎彝不是要買維持生活的食物嗎？因此，你所需要的是產品而不是錢。你從出售貨物所收進的銀幣和為著購買別人貨物所付出的銀幣，過了一會兒又將在別人的買賣者之間執行同樣的職務。它將一次又一次地繼續執行這種職務，正如公共車輛一次又一次地接連運載客貨那樣。你如果發覺貨物不易脫售，難道你會說這是因為缺乏運送它的工具嗎彝錢畢竟只是移轉價值的手段。錢的全部效用，在於把你的顧客想買你的貨物而賣出的貨物的價值移到你的手中。到你下次購買東西時，錢又把你所賣給別人的貨物的價值移給第三者。所以，你是使用只暫時變成銀錢形式的你的產品的價值購買你所需要或所喜歡的東西，每一個人也一定得使用只暫時變成銀錢形式的他的產品的價值購買他所需要或喜歡的東西。要不是這樣，法國現時成交的貨物，哪能夠比查理六世的時代多五六倍呢？法國現時所生產的貨物，必定比過去多五六倍，而且這些貨物被用以進行相互的購買，這難道不是很明顯嗎？

這樣，把銷路疲滯歸因於缺乏貨幣的說法，是錯誤地把手段看作原因。這種錯誤的產生，是由於差不多一切產品在最終變為其它產品之前，總首先變成貨幣，而照庸俗的看法，貨幣是最重要的貨物並是一切交易的目的，但其實貨幣只不過是媒介而已。銷路呆滯決不是因為缺少貨幣，而是因為缺少其它產品。如果其它產品存在，我們不怕得不到充分數量的貨幣以處理這價值的流轉和互換。如果交易擴大，需要更多貨幣以便利它的進行，這需要不難得到滿足。這需要並且是社會繁榮的明顯象徵——它證明已經創造有大量價值，要跟別的價值交換。在這種情況下，商人完全曉得如何尋找別的東西來代替作為交易媒介的產品即貨幣。貨幣不久自必湧至，因為無論什麼產品，什麼地方最需要它，它自然就湧到什麼地方。貿易數量如果擴大到現有貨幣不能應付的程度，這正是好現象，恰如貨物多到堆積不能容納的程度是好現象一樣。

如果一種產品過剩難於脫售，貨幣的短少一點也不會構成它的銷售的阻礙。賣者將樂於按照當天市價接受他們自己所消費的東西以抵付它的價值，他們不會要貨幣，他們也不需要貨幣，因為貨幣對於他們的唯一用處，就是換取自己所需要的東西。

在市場有貨物和服務供應的條件下，這個說法對一切情況都可適用。在價值生產最多的地方，貨物和服務的需求最大，因為這地方所創造的價值即唯一可用以作購買手段的東西，比其它地方都來得多。在以產品換錢、錢換產品的兩道交換過程中，貨幣只一瞬間起作用。當交易最後結束時，我們將發覺交易總是以一種貨物交換另一種貨物。

值得注意的是，一種產物一經產出，從那時刻起就給價值與它相等的其它產品開闢了銷路。一般地說，生產者在完成他的產品的最後一道加工後，總是急於把產品賣去。因為他害怕產品在自己手中會喪失價值。此外他同樣急於把出賣產品所得的貨幣花去。因為貨幣的價值也易於毀滅。但想要擺脫手中的貨幣，唯一可用的方法就是拿它買東西。所以，單單一種產品的生產，就給其它產品開闢了銷路。

由於這個原因，豐收不但對農民有利，而且對經營一切貨物的商人都有利。收成愈佳，農民要購買的東西愈多，反之，收成不佳，一切貨物的銷售，都不免受到影響。工商業的產品也是這樣，一個商業部門如果生意興隆，它便提供更多購買手段，給其它部門的產品開闢更大的銷路。反之，一門商業或一門工業如果不景氣，一切其它商業或工業部門都必感受它的影響。

（節選自〔法〕薩伊著，陳福生等譯《政治經濟學概論》，商務印書館 1963 年版）

編選説明 • • •

本篇選自薩伊《政治經濟學概論》，篇名為編者所加。在本篇，作者論述了供給會自行創造需求的「薩伊定律」。他認為，商品交換，歸根到底是產品與產品的交換，貨幣只是一種交換的媒介，僅起瞬間的作用，一種產品一經產出，就給價值與它相等的其它產品開闢了道路。因此，假定市場發生了某種產品的滯銷，那是由於另一種產品生產的不足，只要擴大生產就可以自動實現市場供求均衡。因此，他認為市場不會出現普遍的過剩，他反對政府的經濟干預。薩伊定律提出後，在西方經濟學中長期佔據統治地位，直到凱恩斯理論的提出，才被拋棄。

大衛·李嘉圖

比較利益與國際貿易

在商業完全自由的制度下，各國都必然把它的資本和勞動用在最有利於本國的用途上。這種個體利益的追求很好地和整體的普遍幸福結合在一起。由於鼓勵勤勉、獎勵智巧，並最有效地利用自然所賦與的各種特殊力量，它使勞動得到最有效和最經濟的分配；同時，由於增加生產總額，它使人們都得到好處，並以利害關係和互相交往的共同紐帶把文明世界各民族結合成一個統一的社會。正是這一原理，決定葡萄酒應在法國和葡萄牙釀製，穀物應在美國和波蘭種植，金屬製品及其它商品則應在英國製造。

一般說來，在同一國家內，利潤總處在同一水準上，或者只是因為各種資本用途在安全和是否適宜方面有所不同時才會有所差異。但在不同國家同情形就不如此……

如果葡萄牙和其它國家沒有通商關係，那麼它便不能用大部分資本和勞動製造葡萄酒，然後用來從其它國家換回本身需要的毛尼和金屬製品，而必須用這資本的一部分製造這些商品。它這樣獲得的這些商品在品質和數量上也許都要差些。

葡萄牙用多少葡萄酒來交換英國的毛呢，不是由各自生產上所用的勞動量決定的，情形不像兩種商品都在英國或都在葡萄牙生產那樣。

英國的情形可能是生產毛呢需要一百人一年的勞動；而如果要釀製葡萄酒則需要一百二十人勞動同樣長的時間。因此英國發現對自己有利的辦法是輸出毛呢以輸入葡萄酒。

葡萄牙生產葡萄酒可能只需要八十人勞動一年，而生產毛呢卻需要九十人勞動一年。因此，對葡萄牙來說，輸出葡萄酒以交換毛呢是有利的。即使葡萄牙進口的商品在該國製造時所需要的勞動雖然少於英國，這種交換仍然會發生。雖然葡萄牙能夠以九十人的勞動生產毛呢，但它寧可從一個需要一百人的勞動生產毛尼的國家輸入，因為對葡萄牙說來，與其挪用種植葡萄的一部分資本去織造毛尼，還不如用資本來生產葡萄酒，因為由此可以從英國換得更多的毛尼。

因此，英國將以一百人的勞動產品交換八十人的勞動產品。這種交接在同一國家中的不同個人間是不可能發生的。不可能用一百個英國人的勞動交換八十個英國人的勞動，但卻可能用一百個英國人勞動的產品去交換八十個葡萄牙人、六十個俄國人或一百二十個東印度人的勞動產品。關於一個國家和許多國之間的這種差別是很容易解釋的。我們只要想到資本由一國轉移到另一國以尋找更為有利的用途是怎樣困難，而在同一國家中資本必然會十分容易地從一省轉移到另一省，情形就很清楚了。

在這種情形下，如果葡萄酒和毛尼都在葡萄牙製造，並把英國用來織造毛尼的資本和勞動都轉移到葡萄牙去，毫無疑問不僅有利於英國的資本家，而且也有利於兩國的消費者。在這種情形下這些商品的相對價值就會受同一原則的規定，就像一種是約克郡的產品，而另一種是倫敦的產品一樣了。並且，在一切其它情形下，只要資本能自由流向運用最為有利的國家，利潤率就不會有任何差別，商品的實際價格或勞動價格，除去把它運往各個銷售市場所需要的追加勞動量外，也不會再有其它的差別。

不過經驗表明，有種種因素阻礙著資本移出：比方說，資本不在所有者的直接監督下時將會使他發生想像的或實際的不安全感；並且每一個人自然都不願意離鄉背井。帶著已成的習慣而置身於異國政府和新法律下。這種種感情使大多數有產者都不願到外國去為自己的財富尋找更為有利的用途，而寧願滿足於本國的較低利潤率；我個人是不希望看到這些感情淡薄下去的。

金與銀已被選為普遍的流通媒介，商業的競爭使其在世界各國的分配比例。能夠適應於假定沒有這兩種金屬存在、國際貿易純然是一種物物交換時所將出現的自然貿易情況。

……

因此，毛呢在葡萄牙所能換得的黃金如果不比輸出國的所費的黃金多，就不可能輸入葡萄牙；葡萄酒在英國所能換得的黃金如果不比葡萄牙所費的黃金多，便也不可能輸入英國。如果貿易是純粹的物物交換，那只有當英國能夠使毛呢十分便宜，以致用一定量勞動製造毛呢比之栽種葡萄能獲得更多的葡萄酒時，或當葡萄牙的工業出現相反的結果時，它才能繼續下去。現在，假設英國發明了一種釀造葡萄酒的方法，因而在本國製造比輸入更有利，它自然會把一部分資本從對外貿易轉移到國內貿易上來。它將停止生產出口的毛呢，而自己釀造葡萄酒。兩種商品的貨幣價格就會因而被決定。任英國葡萄酒會跌價，而毛呢則繼續保持以前的價格，而葡萄牙的這兩種商品的價格卻都不會發生變動。毛呢暫時還是可以繼續從英國輸出，因為葡萄牙的毛呢價格仍然高於英國。但是用來換取毛呢的將是貨幣，而不是葡萄酒。直到貨幣在英國的積纍和在外國的減少對兩國毛呢的相對價值所發生的影響使毛呢的輸出無利可圖為止。如果英國釀造葡萄酒方法改良極大，那麼兩國在這兩種行業上對換一下，讓兩國消費的葡萄酒完全由英國釀造，而兩國消費的毛呢則完全由葡萄牙織造，也會對於兩國都有利。但要辦到這一點，貴金屬就要重新分配，使毛呢的價格在英國提高而在葡萄牙降低。葡萄酒在英國由於製造方法改良而得到實際便利，相對價格將會下落。這就是說，它的自然價格將會低落；毛呢在英國的相對價格將由於貨幣的積纍而提高。

（節選自〔英〕大衛・李嘉圖著，郭大力、王亞南譯《政治經濟學及其賦稅原理》，商務印書館 1976 年版）

編選說明 ●●●

本篇選自大衛・李嘉圖《政治經濟學及其賦稅原理》，篇名為編者所加。在本篇中，作者以勞動價值論為基礎，論述了國際貿易的比較優勢理論，認為國際分工和國際貿易不僅僅取決於各國生產成本的絕對差異，而且取決於生產成本的相對差異。因此，每一個國家都可能有「某種具有優勢的產品」，如果「各國都更為合理地分配它的勞動資源，生產這種具有優勢的產品」，並「將其用於相互交換，各國就都能得到更多的利益」。李嘉圖的這種比較優勢理論是對斯密絕對優勢理論的發展，是國際貿易的理論基礎。

凱恩斯

有效需求原則（節選）

本理論可以簡述如下。就業量增加時，總真實所得也增加。但社會心理往往如斯：總真實所得增加時，總消費量也增加，但不如所得增加之大。故若整個就業增量，都用在滿足消費需求之增加量上，則雇主們將蒙受損失。

故欲維持某特定就業量，則當前（current）投資量必須足以吸收在該就業量之下，總產量超過社會消費量之部分。蓋若投資量小於此數，則雇主們之收入，將不足以引誘彼等提供該就業量。由此，設社會之消費傾向（propensity to consume）不變，則就業量之均衡水準決定於當前投資量；所謂均衡水準者，即在該水準時，雇主們既不欲擴張、亦不欲縮小其雇用人數。當前投資量則又決定於投資引誘（inducement to invest），投資引誘則又決定於兩組勢力之相互關係，第一組為資本之邊際效率表，第二組則為各種期限不同、風險不同的貸款利率。

故設消費傾向與新投資量不變，則只有一個就業水準，與均衡相符；在任何其它水準，總產量之總供給價格，皆與其總需求價格不相等。此均衡水準不能大於充分就業，即真實工資不能小於勞力之邊際負效用。但是一般說來，我們並沒有理由，可以期望此均衡水準必等於充分就業。與充分就業相吻合的有效需求，實在只是一個特例，只有當在消費傾向與投資引誘之間，有一特殊關係存在時，方能實現。經典學派郎假設此種特殊關係之存在。在一種意義上說，這種特殊關係乃是最適度（optimum）關係，只有在下列情形下方能存在：即或由於偶然巧合，或由於有意設計，當前投資量恰等於在充分就業情形之下，總產量之總供給價格與社會消費量之差。

本理論可以歸納為下列幾個命題：

（一）設技術、資源、與成本三種情況不變，則所得（貨幣所得與真實所得二者）定於就業量 N。

（二）一社會之所得與該社會之消費量（後者以 D1 表示之）——這二者之間之關係，定於該社會之心理特徵；此種關係，可稱之為消費傾向。換言之，設消費傾向不變，則消費量定於總所得量，亦即定於總就業量 N。

（三）雇主們決定雇用之勞工數 N，乃定於二者之和（D），即可以預期於社會之消費量 D1，以及可以預期於社會之新投資量 D2。D 即以上所稱有效需求。

（四）因 D1＋D2＝D＝ϕ（N），其中 ϕ 代表總供給函數，又因從上（二），D1 為 N 之函數，可寫作 χ（N），χ 定於消費傾向，故有 ϕ（N）－ χ（N）＝D2。

（五）因此，均衡就業量乃定於（i）總供給函數 ϕ，（ii）消費傾向 χ，與（iii）投資量 D2。此即就業通論之要點。

（六）工資品工業中勞力之邊際生產力，隨 N 之增加而遞減，而前者又決定真實工資率，故（五）受以下限制：當真實工資率減低至與勞力之邊際負效用相等時，N 即達到其最大值。故並不是 D 可以任取何值，而貨幣工資皆可保持不變，故欲知就業理論之全貌，貨幣工資率不變這個假定，必須撤銷。

（七）依照經典學派理論，則不論 N 取何值，D 皆等於 ϕ（N）；故只要 N 小於其最大值，就業量皆在中立均衡狀態（neutral equilibrium）。而雇主間之相互競爭，必能使 N 達到此最大值。在經典學派看來，只有這點才是穩定（stable）均衡點。

（八）就業量增加時，D1 增加，但不若 D 增加之甚：因為當我們所得增加時，消費量增加，但消費量之增加小於所得之增加。解決實際問題之線索，就在這個心理法則上。由此法則，故就業量愈大，則 Z 相應產量之總供給價格（與 D1 雇主們可以預期從消費者身上收回部分）之差別愈大。設消費傾向不變，則除非 D2 逐漸增加，以彌補 Z 與 D1 間距離之逐漸擴大，否則就業量不能增加。故除非真像經典學派所假定的那樣，當就業量增加時，總會有若干力量使 D2 增加，足夠彌補 Z 與 D1 間距離之逐漸擴大，否則可能 N 尚未到充分就業水準，而經濟體系已達到穩定均衡狀態；N 之實際水準則定於總需求函數與總供給函數相交之點。

故勞力之邊際負效用（以真實工資衡量）並不決定就業量；在某特定真實工資率之下所可能有的勞力供給量，只決定就業量之最高水準。消費傾向與新投資量二者才決定就業量，就業量又決定真實工資水準——並不是顛倒過來。設消費傾向與新投資量所產生之有效需求不足，則實際就業量將小於現行真實工資率之下，所可能有的勞力供給量，而均衡真實工資率，將大於均衡就業量之邊際負效用。

這種分析，可以解釋為什麼會有可富而不富（poverty in the midst

of plenty）這種矛盾現象。因為只要有效需求可以不足，則就業量就可以——而且常常——在沒有達到充分就業水準以前，即行中止而不再增加。有效需求之不足，常常阻礙生產，——雖然勞力之邊際產物，尚大於就業量之邊際負效用。

而且，社會愈富，則其實際產量與可能產量之差別愈大，經濟制度之弱點亦愈易暴露而令人憤慨。一個貧窮社會，往往以其產品之大部分用之於消費，故只要有小量投資，即可造成充分就業。反之，在一富裕社會中，設欲令富人之儲蓄傾向與窮人之就業機會不相衝突，則投資機會必須較之貧窮社會增大許多。設在一富裕潛性極大之社會中，投資引誘甚弱，則該社會之富裕潛性雖大，但有效需求原則必迫使其減少實際產量，直至該社會達到一種貧窮程度，使其實際產量超過消費量部分，恰與其微弱的投資引誘相適應。

但事之不幸更有甚於此者。在一富裕社會中，不僅邊際消費傾向較弱，而且因其資本積聚量已較大，故除非利率可以迅速下降，否則繼續投資之吸引性也較小。這裏就牽涉到利息論，以及何以利率不能自動降到適宜水準。這些留待第四編討論。

故消費傾嚮之分析、資本之邊際效率之定義以及利率論，乃是我們現有知識中之三大缺陷，必須彌補。這步做到以後，價格論之地位也確定了——價格論只是我們通論之附屬品。我們將發現，在利率論中，貨幣佔有重要位置；我們將設法弄清楚，貨幣之所以異於他物者，其特徵何在。

（節選自〔英〕凱恩斯著，徐毓木丹譯《就業、利息和貨幣通論》，商務印書館 1987 年版）

編選說明 ●●●

本篇選自凱恩斯《就業、利息和貨幣通論》，篇名為編者所加。在本篇，作者對全書所論述的觀點進行了總體的介紹。他認為資本主義社會存在失業的原因在於有效需求的不足。有效需求不足的原因在於邊際消費傾向遞減規律、資本邊際效率（對資本未來收益的預期）遞減規律和心理上對貨幣的流動性偏好的存在。因此，要解決資本主義社會的失業問題，不可能通過市場機制的自動調節來實現，必須通過國家對經濟的干預，即運用財政政策和貨幣政策來刺激和管理總需求。凱恩斯這一理論與政策的提出，在西方經濟學界和政界引起了巨大的反響，被認為是經濟學上的「凱恩斯革命」，對現代西方經濟學的發展產生了重要的影響。

哈耶克

計劃還是市場

當我們試圖建立一個合理的經濟秩序時想要解決什麼問題呢？根據某些常見的假設，答案十分簡單。即，假如我們具有一切有關的信息；假如我們能從一個已知的偏好體系出發；假如我們掌握現有方式的全部知識，所剩下的就純粹是一個邏輯問題了。

……

然而，這根本不是社會所面臨的經濟問題。而且我們為解決這個邏輯問題所發展起來的經濟運算，也並未為它提供答案，儘管這種經濟運算是朝解決社會經濟問題方向所邁出的重要一步。其原因是，經濟運算所依賴的「資料」從未為了整個社會而「賦予」一個能由其得出結論的單一頭腦，而且也絕不可能像這樣來賦予。

……

合理的經濟秩序問題之所以有這麼一個獨特的性質，是因為我們所必須利用的關於各種具體情況的知識，從未以集中的或完整的形式存在，而只是以不全面而且時常矛盾的形式為各自獨立的個人所掌握。這樣，如果「賦予」在此指賦予一個能有意識地解決這些「資料」所構成的問題的單一頭腦，社會的經濟問題就不只是如何分配所「賦予」的資源，而是如何確保充分利用每個社會成員所知道的資源，因為其相對重要性只有這些個人才知道。簡而言之，它是一個如何利用並非整體地賦予任何人的知識的問題。

……

存有爭議的並不是要不要計劃，而是應該怎樣制訂計劃：是由一個權威機構為整個經濟體系集中地制定？還是由許多個人分散地制訂？在當前的爭論中所使用的特定意義上的計劃一詞，毫無例外地指中央計劃，即根據一個統一的計劃管理整個經濟體系。而競爭則指由許多單獨的個人所制訂的分散的計劃。居於這兩者之間的是代表有組織的工業的計劃，這種計劃許多人談及，但一旦看到便很少有人喜歡，它就是壟斷。

在這三種制度中哪一種效率更高，主要取決於我們可望在哪一種制度下能夠更為充分地利用現有的知識，而知識的充分利用又取決於我們怎樣做才更有可能取得成功；是將所有應被利用的但原來分散在許多不同的個人間的知識交由一個單一的中央權威機構來處理呢，還是把每個人所需要的附加的知識都灌輸給他們，以使他們的計劃能與別人的計劃相吻合？

……

在這一點上，不同種類的知識，其地位顯然是不同的。所以，回答我們問題的關鍵，就在於不同種類知識的相對重要性：是那些更可能為特定個人所支配的知識重要呢？還是那些我們認為更會被經適當挑選的專家所組成的權威機構所掌握的知識重要？如果當前人們廣泛地認為後者更為重要，那只是因為一種叫科學知識的知識在公眾的想像中佔據了至高無上的地位，以致我們幾乎忘了這種知識並非絕無僅有。也許可以承認，就科學知識而言，一群經適當挑選的專家也許最能掌握現存全部最好的知識，儘管這樣做只不過是把困難轉嫁到了挑選專家這一問題。我想指出的是，即使假定這個問題能很容易地解決，它也只是這個範圍更廣的問題中的一小部分。

今天，誰要是認為科學知識不是全部知識的概括，簡直就是異端邪說。但是稍加思索就會知道，當然還存在許多非常重要但未組織起來的知識，即有關特定時間和地點的知識，它們在一般意義上甚至不可能稱為科學的知識。但正是在這方面，每個人實際上都對所有其它人來說具有某種優勢，因為每個人都掌握可以利用的獨一無二的信息，而基於這種信息的決策，只有由每個個人作出，或由他積極參與作出，這種信息才能被利用。我們只要想一下，我們無論從事任何職業，在完成了理論上的培訓後還必須學那麼多的東西，學習各種特別工作佔了我們工作生涯的多麼大的一部份，在各行各業中，對人們的瞭解，對當地環境的瞭解、對特殊情況的瞭解，是多麼寶貴的財富。知道並使用未充分利用的機器，或懂得能被更好地利用的某人的技能，或瞭解供應中斷時能提取的儲備，對社會來講與瞭解更好的可選擇的技術同樣有用。一個靠不定期貨船的空程或半空程運貨謀生的人，或者其全部知識幾乎就在於知道一種即時機會的地產掮客，或從不同地方商品價格的差價獲利的套利人，他們都是以不為他人所知的對一瞬即逝的情況的專門瞭解，在社會中起重大作用的。

……

如果我們可以同意社會經濟問題主要是適應具體時間和地點情況的變化問題，那麼我們似乎就由此推斷出，最終的決策必須要由那些熟悉這些具體情況並直接瞭解有關變化以及立即可以弄到的應付這些變化的資源的人來作出。我們不能指望通過讓此人首先把所有這些知識都傳遞給某一中央機構，然後該中央機構綜合了全部知識再發出命令這樣一種途徑來解決這個問題，而只能以非集權化的方法來解決它，因為只有後者才能保證及時利用有關特定時間和地點之具體情況的知識。

（節選自〔英〕A.哈耶克著，賈湛等譯《個人主義與經濟秩序》，北京經濟學院出版社 1991 年版）

編選說明 ●●●

本篇選自 A.哈耶克《個人主義與經濟秩序》第四章「知識在社會中的作用」，篇名為編者所加。A.哈耶克（1899—1992），奧地利裔英國經濟學家，新自由主義的代表人物。1974 年，他因深入研究了貨幣理論和經濟波動，並深入分析了經濟、社會和制度現象的互相依賴，獲得諾貝爾經濟學獎。著有《致命的自負》《通向奴役的道路》《個人主義與經濟秩序》等。在本篇中，作者認為，實現資源的最優配置，需要完全的信息或知識，但是，由於我們所需要的知識或信息不是以一種集中或完整的形式存在，而是以不全面而且時常矛盾的形式為各自獨立的人所掌握，因此，通過計劃經濟是難以實現資源最優配置的，而通過市場經濟，則能夠充分發揮每一個人所掌握的知識或信息的作用，實現資源的優化配置。

貝蒂爾・俄林

要素稟賦與國際貿易

貿易的首要條件是某些商品在某一地區生產要比在別一地區便宜。在每一個地區，出口品中包含著該地區比在其它地區擁有的較便宜的相對大量的生產要素，而進口別的地區能較便宜地生產的商品。簡言之，進口那些含有較大比例生產要素昂貴的商品，而出口那些含有較大比例生產要素便宜的商品。

在分析時必須記住，一個生產要素在 A 地區比 B 地區是便宜些或昂貴些，只有當兩種貨幣的匯率建立後才能確定，而匯率不依賴於相互需求的情況，依賴各地區定價的基本因素。只有考慮構成價格機制的所有因素——相互依賴的體系，才能恰當地解釋區域貿易性質。如果記住這一條，問題還可以進一步簡化。毫無疑問，各種生產要素不同的供應情況是導致貿易的生產成本和商品價格不相等的主要原因。一個地區同另一地區比較，某些生產要素的供應量很大，而另一些要素供應則很少，當需求情況不能抵消供應的不平衡時，結果是在隔離狀態下生產要素和商品的相對價格的不相等。在匯率建立後出現一種形勢，A 地區豐裕的生產要素價格比 B 地區便宜，而稀缺要素的價格則比 B 地區貴。記住這些限定條件，人們在這種情況下才可使用「豐裕」或「稀缺」的字眼，而「便宜」或「昂貴」這些詞義將會更精確些。

澳大利亞用羊毛和小麥同工業品相交換，因為羊毛和小麥需要某種等級的土地，在該地區大量地存在。而製造業需要的大量勞力和某些自然資源如煤、鐵礦在澳大利亞供應稀少。因而某種等級的土地同勞力交換，同其它等級土地交換。嚴格說來，澳大利亞的出口品包含著很多的土地生產要素，不是由於土地豐裕，而是由於這裏的土地比別的地區便宜。貿易開展以後，情況顯然也差不多。只有需求情況如此特殊，以致儘管供應豐富，比供應少的地區，土地並不便宜，情況才有所不同。除了這種極為特殊的需求情況，人們可以說貿易暗含著豐裕的生產要素同供應稀缺要素相交換。

（節選自〔瑞典〕貝蒂爾·俄林著，王繼祖譯《地區間貿易和國際貿易》，首都經濟貿易大學出版社 2001 年修訂版）

編選說明 ●●●

本篇選自貝蒂爾·俄林《地區間貿易和國際貿易》，篇名為編者所加。貝蒂爾·俄林（1899—1979），瑞典經濟學家，是現代國際貿易理論的創始人。1977 年，貝蒂爾·俄林因對國際貿易理論和國際資本運動理論做出了開拓性的研究，獲得諾貝爾經濟學獎，《區域貿易與國際貿易》是他的代表作。作者在本篇論述了國際貿易的要素稟賦理論。奧林在他的老師赫克歇爾關於國與國之間的貿易取決於各國擁有的要素稟賦的相對豐裕程度理論的基礎上，建立起了考察貿易形式和貿易條件的理論框架——要素稟賦理論模型（即赫克歇爾—俄林模型）。認為，各國生產要素自然稟賦的相對差異決定了不同生產要素的使用方法和價格，因而也就決定了各國在不同商品生產上的成本差異，決定了各國的比較優勢和貿易利益。要素稟賦理論的提出，標誌著國際貿易理論研究進入到了一個新的階段，是國際貿易理論發展歷史中的一座里程碑。

科斯

為什麼會有企業的出現

建立企業有利可圖的主要原因似乎是，利用價格機制是有成本的。通過價格機制「組織」生產的最明顯的成本就是所有發現相對價格的工作。隨著出賣這類信息的專門人員的出現，這種成本有可能減少，但不可能消除。市場上發生的每一筆交易的談判和簽約的費用也必須考慮在內。再者，在某些市場中（如農產品交易）可以設計出一種技術使契約的成本最小化，但不可能消除這種成本。確實，當存在企業時，契約不會被取消，但卻大大減少了。某一生產要素（或它的所有者）不必與企業內部同他合作的一些生產要素簽訂一系列的契約。當然，如果這種合作是價格機制起作用的一個直接結果，一系列的契約就是必需的。一系列的契約被一個契約替代了。在此階段，重要的是注意契約的特性，即注意企業中被雇傭的生產要素是如何進入的。通過契約，生產要素為獲得一定的報酬（它可以是固定的也可以是浮動的）同意在一定限度內服從企業家的指揮。契約的本質在於它限定了企業家的權力範圍。只有在限定的範圍內，他才能指揮其它生產要素。

然而，利用價格機制也存在著其它方面的不利因素（或成本）。為某種物品或勞務的供給簽訂長期的契約可能是期望的。這可能緣於這樣的事實：如果簽訂一個較長期的契約以替代若干個較短期的契約，那麼，簽訂每一個契約的部分費用就將被節省下來。或者，由於人們注重避免風險，他們可能寧願簽訂長期契約而不是短期契約。現在的問題是，由於預測方面的困難，有關物品或勞務供給的契約期越長，實現的可能性就越小，從而買方也越不願意明確規定出要求締約對方干些什麼。對於供給者來說，通過幾種方式中的哪一種來進行物品或勞務的供給，並沒有多大差異，可對於物品或勞務的購買者來說就不是如此。但由於購買者不知道供給者的幾種方式中哪一種是他所需要的，因此，將來要提供的勞務只是以一般條款規定一下，而具體細節則留待以後解決。契約中的所有陳述是要求供給者供給物品或勞務的範圍，而要求供給者所做的細節在契約中沒有闡述，是以後由購買者決定的。當資源的流向（在契約規定的範圍內）變得以這種方式依賴於買方時，我稱之為「企業」的那種關係就流行起來了。因此，企業或許就是在期限很短的契約不令人滿意的情形下出現的。購買勞務——勞動——的情形顯然比購買物品的情形具有更為重要的意義。在購買物品時，主要專案能夠預先說明而其中細節則以後再決定的意義並不大。

我們可以將這一節的討論總結一下。市場的運行是有成本的，通過形成一個組織，並允許某個權威（一個「企業家」）來支配資源，就能節約某些市場運行成本。企業家不得不在低成本狀態下行使他的職能，這是鑒於如下的事實：他可以以低於他所替代的市場交易的價格得到生產要素，因為如果他做不到這一點，通常也能夠再回到公開市場。

（節選自〔英〕R.H.科斯著，盛洪、陳鬱譯校《企業、市場與法律》，上海三聯書店 1990 年版）

編選說明 •••

本篇選自R.H.科斯《企業的性質》，篇名為編者所加。R.H.科斯（1910—），英國經濟學家，產權理論的創始人，新制度經濟學的鼻祖。1991年因為對經濟的體制結構取得突破性的研究成果，獲得諾貝爾經濟學獎，《企業的性質》是他的代表作之一。在本篇中，作者認為，通過市場組織生產存在巨大的交易成本，而由企業來組織生產，則可以有效地降低交易成本。因此，從本質上說，企業是對市場的一種替代。但是，企業也有其特殊的交易成本，因此，企業也不能無限擴大，完全替代市場。科斯對企業性質的研究，是具有開創性，它不僅用經濟學的方法解釋了企業的本質，深化了對企業的認識，而且為對企業的進一步研究打開了思路，擴展了空間，促進了企業和產權理論研究的發展。

密爾頓・弗里德曼

價格的作用

價格在組織經濟活動方面起三個作用：第一，傳遞情報；第二，提供一種刺激，促使人們採用最節省成本的生產方法，把可得到的資源用於最有價值的目的；第三，決定誰可以得到多少產品——即收入的分配。這三個作用是密切關聯的。

傳遞情報

假設，不管是什麼原因，對鉛筆的需求有所增加——也許是因為出生的孩子多增加了學生人數。零售商發現鉛筆的銷路增加了。他們會向批發商定購更多的鉛筆。批發商會向製造商定購更多的鉛筆。製造商會定購更多的木料、黃銅、石墨——用於製造鉛筆的所有各種產品。製造商為了使他們的供應者更多地生產這些產品，就得出更高的價錢。較高的價錢會促使供應者增加他們的勞動力，以便應付增加了的需求。為了得到更多工人，他們就得出較高的工資或較好的工作條件。這樣，就像水波似的愈來愈擴大，把消息傳給全世界，知道對鉛筆的需求增加了——或者，說得更確切些，是對某種他們生產的東西的需求增加了，他們可能知道其原因也可能不知道其原因。

……

價格不僅把情報從最終的購買者那裏傳給零售商、批發商、製造商和擁有各種資源的人，它們還以其它方式傳遞情報。假定有一處森林失火或是工人罷工，使木材供應減少而木材的價格上漲，這就告訴鉛筆製造商應該少用木料。如果還生產原先那麼多鉛筆而又不能加價售出，那就要吃虧。鉛筆的產量縮減，會使零售商提高價格，而加價會使使用者把鉛筆用得更短或者改用自動鉛筆。使用者用不著知道鉛筆為什麼漲價，而只需知道鉛筆漲價就行了。

刺激

精確情報的有效傳遞，如果不能刺激有關的人去根據這種情報採取適當的行動，那傳遞情報就毫無意義。如果有人告訴木材生產者市場對木材的需求有所增加，但這並沒有刺激木材生產者生產更多的木材來對漲價作出反應，那就沒有必要告訴他這件事。自由價格制度的妙處之一是，傳遞情報的價格也提供刺激，使人對情報作出反應，還提供這樣做的手段。

……

生產者的收入——他的活動所得——取決於他出售產品的所得和製造產品的開銷之間的差額。他反覆權衡二者，最後確定的產量使他處於這樣一種狀態：再多生產一點會使增加的成本同增加的收入相等。而價格的提高改變了這種狀態。

一般說來，他生產得越多，生產的成本也越高。他必須採伐更偏僻或其它條件更差的地方的樹木；他必須雇用技術水準較低的工人，或者付出較高的工資以從其它行業吸引熟練工人。但是現在價格提高了，使他能夠承受較高的成本，這就提供了增加生產的刺激和這樣做的手段。

價格還提供另外一種刺激，使人不僅按關於需求增加的情報行動，還按關於最有效的生產方法的情報行動。假定有一種木材因短缺，而比別的木材貴，鉛筆製造商便獲得這種木材漲價的情報。由於他的收入也取決於售貨所得和製造成本之間的差額，他就受到一種刺激去節省那種木材。換一個例子，伐木工人使用鏈鋸還是手鋸，那要看鏈鋸和手鋸的價格，哪一種成本低，要看每種鋸需要的勞動量以及不同種勞動的工資。因而伐木行業受到一種刺激去獲得有關的技術知識，並把它同價格所傳遞的情報結合起來，以最大限度降低成本。

收入的分配

我們知道，一個通過市場獲得收入的人，他的收入取決於他出售貨物和勞務的所得同他在生產這些貨物和勞務時所花費的成本之間的差額。所得主要是直接付給我們擁有的生產資源的款項——如付給勞動的工資或付給土地建築物或其它資本的使用費。企業家——如鉛筆製造商——的情況形式上可能有所不同，但本質上是一樣的。他的收入也取決於他擁有的每一種生產資源的多寡，取決於市場為使用這些資源確定的價格。不過企業家擁有的生產資源主要是組織企業，協調企業資源以及承擔風險等方面的能力。他也可以擁有一些企業所使用的生產資源，在這種情況下，他的收入，部分就取自使用這些資源的市場價格。同樣，現代公司的存在並沒有改變這種情況。

……

如果我們不利用價格來影響收入分配，且不說完全決定收入分配，那麼，不管我們的願望如何，要利用價格來傳遞情報，刺激人們行動是根本不可能的。一個人的所得如果不取決於其資源提供的勞務應得到的價格，那什麼會刺激他尋找有關價格的情報或根據這個情報採取行動呢？

……

如果不管努力工作與否，你的收入都一樣，那你為什麼要努力工作呢？如果你費了很大勁兒找到了願意出最高的價錢購買你要出賣的東西的買主，但實際上卻得不到任何好處，那你為什麼還要這樣做呢？如果積纍資本得不到報酬，那麼人們為什麼要把現在可以享受的東西推遲到將來享受呢？為什麼要積蓄呢？人們的自願節制怎麼會積纍現在這麼多物質資本呢？如果維持資本得不到報酬，那麼人們為什麼不把積纍或繼承的資本消耗掉呢？由此可見，如果人們不讓價格影響收入的分配，他們也不能利用價格幹別的事情。

（節選自〔美〕密爾頓·弗里德曼著，胡騎等譯《自由選擇》，商務印書館 1982 年版）

編選説明 •••

本篇選自密爾頓·弗里德曼《自由選擇·市場的力量》。密爾頓·弗里德曼（1912—2006），美國經濟學家，貨幣主義學派的創始人，芝加哥學派的主要代表人物，他研究的領域非常廣泛，在消費函數理論、貨幣理論、宏觀經濟學等方面作出了重要的貢獻。1976 年因創立貨幣主義理論，提出了永久性收入假説。獲得諾貝爾經濟學獎。主要代表作有《消費函數理論》《資本主義與自由》《自由選擇》等。在本篇中，作者以簡潔的語言闡述了價格在市場經濟中的作用。

薩繆爾森

市場的協調機制

市場看上去只是一群雜亂無章的賣者和買者；但卻總是有適量的食品被生產出來，被運送到合適的地點，並最終以美味可口的形式出現在人們的餐桌上。這似乎應該說是一個奇跡。然而，若仔細觀察一下紐約或其它的經濟體，我們就可以令人信服地證明：市場體系既不是混亂也不是奇跡。它是一個自身具有內在邏輯的體系。這個邏輯體系在發揮著作用。

市場經濟是一部複雜而精良的機器，它通過價格和市場體系來協調個人和企業的各種經濟活動。它也是一部傳遞信息的機器，能將數十億各不相同的個人的知識和活動彙集在一起。在沒有集中的智慧或計算的情況下，它能解決涉及億萬個未知變數或相關關係的生產和分配的問題，對此連當今最快的超級電腦也都望塵莫及。並沒有人去刻意地加以管理，但市場卻一直相當成功地運行著。在市場經濟中，沒有一個單獨的個人或組織專門負責生產、消費、分配和定價等問題。

市場如何決定價格、工資和產出？最初，市場是買者與賣者面對面地進行交易的實實在在的場所。農民將他們的產品拿到集市上或城鎮裏出售，在那裏，滿目都是黃油、乳酪、活魚、蔬菜等大家十分熟悉的東西。今天的美國仍然存有許多的交易者人頭攢動的重要的市場。例如，小麥和玉米在芝加哥期貨交易所交易，石油和白金在紐約商品交易所交易，而寶石則在紐約市的「鑽石街區」進行交易。

更通俗地講，市場應被理解成一種買者和賣者決定價格並交換物品或勞務的機制。幾乎每一樣東西都存在相應的市場。你可以在紐約的拍賣廳裏買到大師們的藝術品，你可以在芝加哥交易所裏買到污染許可證，你還可以在許多大城市中購得各種各樣的非法藥品。市場可以是集中的，如股票市場；也可以是分散的，如勞動市場。市場甚至可以是電子化的，隨著互聯網的發展，電子商務將日益流行。

市場是買者和賣者相互作用並共同決定商品和勞務的價格以及交易數量的機制。

在市場體系中，每一樣東西都有價格即物品的貨幣價值。價格代表了消費者與廠商願意交換各自商品的條件。如果我同意以 8050 美元的價格購買一輛經銷商的「二手」福特轎車，這就表明該汽車對於我的價值高於 8050 美元。另一方面，這一價格也必須高於交易商眼中該汽車的價值。二手汽車市場就這樣決定二手福特車價格，並經由自願交易將汽車分配給那些估價較高的買者。

除此之外，對於生產者和消費者來說，價格還是一種信號。如果消費者需要更多數量的某種物品，該物品的價格就會上陞，從而向生產者傳遞出供給不足的信號。當一場可怕的疾病減少了牛肉的產量時，牛肉的供給就會減少，從而漢堡包的價格也將會提高。更高的價格鼓勵農民生產更多的牛肉，同時也促使消費者用其它產品替代對漢堡包和牛肉的消費。

這個適用於消費市場的道理，同樣也適用於生產要素市場，如土地市場和勞動市場等。如果市場需要更多的電腦程序設計人員，電腦程序設計人員的價格（小時工資）就會趨於上陞。這種相對工資的變化就會鼓勵勞工流向那些蓬勃成長的行業。

在市場中，是價格在協調生產者和消費者的決策。較高的價格趨於抑制消費者購買，同時會刺激生產；而較低的價格則鼓勵消費，同時抑制生產。價格在市場機制中起著平衡的作用。

市場均衡在每一時點，市場上都有一些人正在購買，而另一些人正在出售；一些企業正在投資於新產品，而政府正在制定管制傳統產品的法規；一些外國企業正在美國開設工廠，而美國的企業也正在將它們的產品銷往海外。在所有這些喧囂混雜的經濟活動之中，市場正在不斷地解決生產什麼、如何生產和為誰生產的問題。當市場平衡了所有影響經濟的力量時，市場就達到了供給和需求的市場均衡。

市場均衡代表了所有不同的買者和賣者之間的一種平衡。消費者和企業願意購買或出售的數量取決於價格。市場找到了正好平衡買者和賣者的願望的均衡價格。過高的價格意味著產量太多從而產品過剩，而太低的價格則會引起排隊和導致短缺。在某一價格水準上，買者所願意購買的數量正好等於賣者所願意出售的數量，這一價格就達成了供給和需求的均衡。

……

誰統治市場經濟？是諸如微軟和通用汽車公司這樣的大企業在發號施令，還是國會和總統，抑或是麥迪森大道上的廣告大亨？所有這些機構都會影響我們，然而經濟的核心控制者卻是偏好和技術，它們才是市場的兩大君主。

一個基本的決定性因素是消費者偏好。消費者根據自己先天或後天的偏好（並以其貨幣選票加以表達）解決社會資源的最終用途，也即在生產可能性邊界上的各個點之間進行選擇。

另一個決定因素是社會可利用的資源與技術。經濟不能超越它的生產可能性邊界。你能夠乘飛機前往中國香港，但卻沒有通往火星的航班。因此，經濟資源限制了消費者花錢選擇消費對象的範圍。消費者的需求必須同廠商所能提供的商品和服務緊密匹配，廠商根據消費者需求解決生產什麼的問題。

當你對為什麼一些技術未能投入市場產生疑惑時，回想一下「雙重君主」概念是很有用的。從以蒸汽為動力的斯坦利蒸汽汽車（Stanley Steamer），到無煙無味的普萊米爾（Premiere）香煙，歷史上充斥過許多沒有市場的產品。無用的產品如何消亡？是否存在一個政府機構專門宣布新產品的價值？答案是：不存在這種不必要的機構。實際上，它們的消亡是因為按那樣的市場價格無法喚起消費者的需求。其產品的成本大於效益。這告訴我們，是利潤在獎勵或懲罰企業並引導市場機制。

正如農夫用胡蘿蔔加大棒來驅使驢前行一樣，市場體系用利潤和虧損來引導企業有效率地生產出符合人們需要的產品。

（節選自〔美〕保羅·薩繆爾森等著，蕭琛主譯《經濟學》第18版，人民郵電出版社2008年版）。

編選說明 ●●●

本篇節選自保羅・薩繆爾森《經濟學》（第 18 版）。保羅・薩繆爾森（1915—2009），美國經濟學家，當代凱恩斯主義的集大成者，他首次將數學分析方法引入經濟學，發展了數理和動態經濟理論，將經濟科學提高到新的水準。他所研究的內容十分廣泛，涉及經濟學的各個領域，是世界上罕見的多能學者，1970 年他成為第一個獲得諾貝爾獎的美國人。其代表作有《經濟分析基礎》、《經濟學》、《線性規劃與經濟分析》等。在本篇中，作者用簡樸、精鍊、生動的語言，對市場經濟的運行及其協調機制進行了描述。

布坎南

權利、效率和交換：交易費用的不相干（節選）

現在，讓我們考慮一下程序化的公共財產的悲劇。存在著一種潛在的能夠產生價值的資源，由全體參加者共同使用，每個參加者都被引導根據效用最大化的條件，將對資源的適應個人需要的利用擴展到超出如下水準，即在一種理想化的資源的利用由集體決定的背景下，將按照參加者按比例分得的份額商定的最適宜的水準。當個人的選擇與使用公共財產的權利結合起來的時候，資源受到了過度的使用；每個參加者的行為都在相應的資源利用的邊際上，把外部不經濟強加在了分享資源的群體中其它人的福利上；正如在由某種集體選擇的對個人選擇的約束之下而由他們自己達成的協議所表明的那樣，全體參加者的境況都會得到改善。

在這個程序化的例子當中，將相關的外部性內部化的一種不言而喻的方法是，在相互獨立的使用者之間將共用的資源分割開，在明確分配的各個部分中以私人的和獨立的財產權替代對資源的共同使用。這一步驟意味著在資源的利用上明顯地以獨立的私人使用為取向，擯除了所有的公共性和共同性。在同樣作為程序化的後私有化的背景當中，個人不再有效用最大化的刺激，去過度擴大資源的使用：在經過修改的私有權背景下，個人為效用量大化的條件所引導，「最適宜地」或者「有效率地」使用資源（財產），因為任何對效率的背離都會致使機會成本直接地並且完全地強加於作出使用決定的人身上。

在私有權條件下生產的產品的價值，與在資源的共同使用條件下生產的產品的價值之間的全部差別，可以稱之為「社會租金」，它產生於私有財產製的制度化。從形式上講，這種「租金」相當於在霍布斯的模型中產生於與君主訂立的契約的「租金」。這種租金在一個場合度量出私有財產權制度的生產率，在另一個場合度量出君主制度的生產率。

然而，在此把兩種人們熟悉的模式並列起來看，有些因素似乎具有準矛盾性。公共財產的私有化模式認為，有成效的改革在於趨向增加個人的獨立性（減小依賴性），相反，與霍布斯設想出來的君主訂立契約的人們相互間達成的協議則暗示，有成效的改革在於趨向通過在共用的君主制度中的成員資格來增加人們之間的相互依賴性。在這裏，表向上的分歧源於兩種模式強調的重點不同。公共財產的悲劇的比喻把注意力集中於向個人提供的獨立的排他性權利、獨立的私人空間的分配。這種比喻傾向於忽略分配完成後相互獨立的權利的實施問題。相比之下，無政府主義的叢林的比喻把最初的注意力集中於人們對可分離的權利要求的實施和保護的需要上，這些權利要求假設是立足於某些更重要的「自然均衡」。分配問題本身，從概念上講超出了與君主訂立的契約的範圍，除了在租金的應用方面，這種租金產生於權利要求的有效實施。

兩種模式之間的差別在其解釋潛力和規範潛力方面都是很重要的。霍布斯的模式在從那些參與了某種強制性的政治一法律秩序的人們之間達成的某種最終協議中，為那種強制性秩序推導出一種合法性理論方面，提供了更強的解釋能力。同時，這種模式也認為，君主的政治權威在權利分配方面，要受到一系列由人們提出的更主要的權利要求的限制。相比之下，公共財產模式在其解釋能力方面則包含的內容不太多。從這種模式中推導出來的為私有財產所作的辯護，幾乎完全以效率標準為基礎，而且與實施問題沒有直接的關聯。也許並不令人吃驚，這種模式看起來與那些很願意假設政治權威的行動是仁慈的現代福利經濟學家更意氣相投。

公共財產模式在對獨立的個人分享公共財產的權利要求的解釋方面仍然是模糊的，因而它是建立於如下基礎上的，即任何最初的分割可能是由集體本身進行的。言外之意，這種模式認為，份額的分配本身有些任意性，並且受制於集體單位不受約束的選擇。也就是說，受到這種模式鼓勵的思想形式看起來樂意考慮這樣一種經常被提到的危險的主張，即由國家「給財產權利下定義」。當然，一種對產生於公共財產的悲劇的可能的契約性方式更完整的分析，必然要面對一些這類問題。但是，正是由於這類因素的缺乏，我們傾向於把公共財產的悲劇的隱喻放置在非契約論者的面不是契約論者的推導出一種關於私有財產權的基本邏輯的努力當中。

（節選自〔美〕詹姆斯·布坎南著，韓旭譯《財產與自由》，中國社會科學出版社 2002 年版）

編選說明 ●●●

本篇節選自詹姆斯・布坎南《財產與自由》。詹姆斯・布坎南(1919—)，美國經濟學家，公共選擇學派的創始人與領袖。1986 年因把經濟方法運用於政治過程的研究所取得的傑出成就填補經濟學研究領域空缺所作出的重大貢獻而獲諾貝爾經濟學獎。其代表性著作有《贊同的計算：憲法民主的邏輯基礎》、《財產與自由》、《自由、市場和國家》等。在本篇中，作者以理性經濟人假設為基礎，分析了在產權不明晰的公共財產面前，理性的經濟人的行為決策及其產生的後果，進一步深化了人們對霍布斯叢林法則的認識。

喬治．阿克洛夫

「檸檬」市場：品質的不確定性和市場機制（節選）

在許多市場中，購買者總是利用某些市場統計資料來判斷欲購商品的品質。在這種情況下，銷售者就有動機銷售劣質商品，因為從優質商品中受益的主要是其統計資料受影響的銷售者整體而不是單個銷售者。結果是，產品的平均品質往往會下降，市場規模會縮小。還應該看到的是，在這些市場中，社會收益和私人收益是有差別的，因此，在某些情況下，政府干預可以增加各方的福利。或者是，私人制度可能會產生，以利用各方潛在的福利增長。但是，這些制度並不是孤立分散的。因此，權力的集中有可能形成——這就是制度本身帶來的不良後果。

……

舊車市場的例子說明了問題的本質。用以解釋這種現象的常見理由是，擁有一輛新車可以帶來快樂，而我們卻給出了另一種解釋。假定（為了說明問題，而不是現實情況）市場中只有 4 種汽車：即新車和舊車，好車和次品車（在美國，也稱之為「檸檬」）。新車有可能是好車，也有可能是次品車；當然，舊車也是如此。

人們在上述市場中購買一輛新車時，並不知道他所購買的汽車是好車還是次品車。但是，假定在生產出來的汽車中，好車的比例為 q，次品車的比例為 1-q，則買主必定知道買到好車的概率為 q，買到次品車的概率為 1-q。

然而。在對某輛汽車擁有一段時間後，車主就可以瞭解該車的品質，也就是說，車主會重新估計其汽車的概率是次品車，這一估計要比原來的估計更準確。這就形成了一種可得信息的不對稱：現在賣主比買主更瞭解汽車的品質。但是，好車和次品車仍然以相同的價格出售——因為買主不能區別好車和次品車。顯然，舊車與新車的價值不會一樣——如果舊車的價值和新車的一樣，那麼，在好車的概率更高、次品車的概率更低的情況下，以新車的價格出售一輛次品車，然後買回一輛新車肯定是有利可圖的。因此，好車的車主被鎖定（locked in）了。實際上，他不僅得不到其汽車的真實價值，而且也得不到新車的預期價值。

格雷欣法則以另一種方式出現了。絕大多數出售的汽車可能是次品車，好車的買賣可能根本就不存在。次品車傾向於將好車擠出市場（這與劣幣驅逐良幣極其相似）。但是，與格雷欣法則不盡相同的是，次品車擠掉好車的原因在於它們的售價與好車的售價一樣。類似地，劣幣驅逐良幣的原因是這兩種貨幣的交換率是一樣的。但是，次品車的售價與好車的售價一樣是因為買主不能區分好車和次品車，然而在格雷欣法則中，買主和賣主都有可能可以區分劣幣和良幣。因此，上述兩種情況極其相像，但並不完全相同。

由上可見，好車有可能將次品車擠出市場。但是，在有不同檔次商品的連續市場中，甚至更糟賤的異常現象也會存在。一個很有可能出現的現象是，次品將不太差的產品擠出市場，不太差的產品又將中檔產品擠出市場，中檔產品則將不太好的產品擠出市場、不太好的產品將高檔產品擠出市場，依次類推，最終不會有任何市場存在。

（節選自〔美〕喬治·阿克洛夫等著，謝康等編譯《阿克洛夫、斯彭斯和斯蒂格利茨論文精選》，商務印書館 2010 年版）

編選說明 •••

本篇選自喬治·阿克洛夫《「檸檬」市場：品質的不確定性與市場機制》。喬治·阿克洛夫（1940—），美國經濟學家，新凱恩斯主義的主要代表，2001 年因在不對稱信息市場領域所作出的重要貢獻獲諾貝爾經濟學獎，《「檸檬」市場：品質的不確定性與市場機制》是他的主要代表作。該文通過對二手汽車市場的研究，發現在信息不對稱、產品品質不確定、缺乏社會誠信的條件下，低品質產品將會驅逐高品質商品，市場上產品的平均品質會不斷下降，以至於只有劣等產品充斥於其中，進而導致市場規模不斷萎縮，甚至是整個市場的崩潰。阿克洛夫在「檸檬」模型中對信息不對稱現象及其結果的這種分析，已經成為現代微觀經濟學的經典理論，被廣泛地引用來討論市場失靈。

管仲

侈靡（節選）

問曰：古之時與今之時同乎？曰：同。其人同乎？不同乎？曰：不同。可與？政其誅。　堯之時，混吾之美在下，其道非獨出入也。山不童而用贍，澤不弊而養足。耕以自養，以其餘應養天子，故平。牛馬之牧不相及，人民之俗不相知，不出百里而求足，故卿而不理，靜也。其獄一踦腓一踦屨而當死。今用法斷指滿稽，斷首滿稽，斷足滿稽，而死民不服，非人性也，敝也。地重人載，毀敝而養不足，事末作而民興之，是以下名而上實也。聖人者，省諸本而游諸樂，大昏也，博夜也。

問曰：興時化若何？莫善於侈靡。賤有實，敬無用，則人可刑也。故賤粟米如敬珠玉，好禮樂如賤事業，本之始也。珠者，陰之陽也，故勝火；玉者，陽之陰也，故勝水。其化如神。故天子臧珠玉，諸侯臧金石，大夫畜狗馬，百姓臧布帛。不然，則強者能守之，智者能牧之，賤所貴而貴所賤。不然，鰥寡獨老不與得焉，均之始也。

……

用貧與富，何如而可？曰：甚富不可使，甚貧不知恥。水準而不流，無源則速竭；雲平而雨不甚，無委雲，雨則速已。政平而無威則不行，愛而無親則疏。親左有用，無用則辟之，若相為有兆怨。上短下長，無度而用，則危本。

……

請問諸侯之化弊。弊也者，家也。家也者，以因人之所重而行之。吾君長來獵君，長虎豹之皮；用功力之君，上金玉幣；好戰之君，上甲兵。甲兵之本，必先於田宅。今吾君戰，則請行民之所重。

飲食者也，侈樂者也，民之所願也。足其所欲，贍其所願，則能用之耳。今使衣皮而冠角，食野草，飲野水，孰能用之？傷心者不可以致功。故嘗至味而，罷至樂而。雕卵然後瀹之，雕橑然後爨之。丹沙之穴不塞，則商賈不處。富者靡之，貧者為之，此百姓之怠生。百振而食，非獨自為也，為之畜化。

……

為國者，反民性，然後可以與民戚，民欲佚而教以勞，民欲生而教以死。勞教定而國富，死教定而威行。聖人者，陰陽理，故平外而險中。故信其情者傷其神，美其質者傷其文。化之美者應其名，變其美者應其時。不能兆其端者，災及之。故緣地之利，承從天之指，辱舉其死，開國閉辱，知其緣地之利者，所以參天地之吉綱也。承從天之指者，動必明。辱舉其死者，與其失人同公事則道必行。開其國門者，玩之以善言。柰其斝，辱知神次者，操犧牲與其珪璧，以執其斝，家小害，以小勝大。員其中，展其外，而復畏強，長其虛而物正，以視其中情。

……

無事而總，以待有事，而為之若何？積者立餘日而侈，美車馬而馳，多酒醴而靡，千歲毋出食，此謂本事。縣人有主，人此治用，然而不治，積之市。一人積之下，一人積之上，此謂利無常。百姓無寶，以利為首。一上一下，唯利所處。利然後能通，通然後成國。利靜而不化，觀其所出，從而移之。

……

鄉殊俗，國異禮，則民不流矣；不同法，則民不困；鄉丘老不通，睹誅流散，則人不眺。安鄉樂宅，享祭而謳吟稱號者皆殊，所以留民俗也。斷方井田之數，乘馬甸之眾，制之。陵溪立鬼神而謹祭，皆以能別以為食數，示重本也。

故地廣千里者，祿重而祭尊，其君無餘地。與他若一者，從而艾之。始君者艾，若一者，從乎殺。與於殺者從乎艾，艾若一者從於殺。與於殺者，從無封始王事者。王者上事，霸者上功，言重本。是為十禺，分免而不爭，言先人而自後也。

……

能摩故道新道，定國家，然後化時乎？國貧而鄙富，莫美於市國；國富而鄙貧，莫盡如市。市也者，勸也。勸者，所以起本善而末事起。不侈，本事不得立。

（節選自管仲著，姜濤注《管子新注》，齊魯書社 2009 年版）

編選說明

本篇選自《管子 · 侈靡》。侈靡即奢侈。本篇主張實行奢侈的消費，以此來帶動社會的發展。作者圍繞這一主題，從多個角度進行了論述，涉及政治、經濟、軍事、文化等各個方面。從經濟思想方面來說，它的特異之處，在於除了闡述侈靡消費的作用和政策外，還探討了經濟活動各個環節之間的相互關係和作用。可以說，這篇文章是我國古代思想家對經濟問題所作的最早的專題分析。

管仲

國蓄（節選）

國有十年之蓄，而民不足於食，皆以其技能望君之祿也；君有山海之金，而民不足於用，是皆以其事業交接於君上也。故人君挾其食，守其用，據有餘而制不足，故民無不累於上也。五穀食米，民之司命也；黃金刀幣，民之通施也。故善者執其通施以御其司命，故民力可得而盡也。

……

凡將為國，不通於輕重，不可為籠以守民；不能調通民利，不可以語制為大治。是故萬乘之國有萬金之賈，千乘之國有千金之賈。然者何也？國多失利，則臣不盡其忠，士不盡其死矣。歲有凶穰，故谷有貴賤；令有緩急，故物有輕重。然而人君不能治，故使蓄賈遊市，乘民之不給，百倍其本。分地若一，強者能守；分財若一，智者能收。智者有什倍人之功，愚者有不賡本之事。然而人君不能調，故民有相百倍之生也。夫民富則不可以祿使也，貧則不可以罰威也。法令之不行，萬民之不治，貧富之不齊也。且君引量用，耕田發草，上得其數矣；民人所食，人有若干步畝之數矣。計本量委則足矣，然而民有飢餓不食者何也？谷有所藏也。人君鑄錢立幣，民庶之通施也。人有若干百千之數矣，然而人事不及，用不足者何也？利有所併藏也。然則人君非能散積聚，鈞羨不足，分併財利而調民事也。則君雖強本趣耕，而自為鑄幣而無已，乃今使民下相役耳，惡能以為治乎？

歲適美，則市糶無予，而狗彘食人食。歲適凶，則市糴釜十繦，而道有餓民。然則豈壤力固不足而食固不贍也哉？夫往歲之糶賤，狗彘食人食，故來歲之民不足也。物適賤，則半力而無予，民事不償其本；物適貴，則什倍而不可得，民失其用。然則豈財物固寡而本委不足也哉？夫民利之時失，而物利之不平也。故善者委施於民之所不足，操事於民之所有餘。夫民有餘則輕之，故人君斂之以輕；民不足則重之，故人君散之以重。斂積之以輕，散行之以重，故君必有什倍之利，而財之 可得而平也。

凡輕重之大利，以重射輕，以賤泄平。萬物之滿虛隨財，準平而不變，衡絕則重見。人君知其然，故守之以準平。使萬室之都必有萬鍾之藏，藏繦千萬；使千室之都必有千鍾之藏，藏繦百萬。春以奉耕，夏以奉芸。耒耜械器，鍾鑲糧食，畢取贍於君。故大賈蓄家不得豪奪吾民矣。然則何？君養其本謹也。春賦以斂繒帛，夏貸以收秋實，是故民無廢事，而國無失利也。

凡五穀者，萬物之主也。穀貴則萬物必賤，穀賤則萬物必貴。兩者為敵，則不俱平。故人君御穀物之秩相勝，而操事於其不平之間。故萬民無籍而國利歸於君也。夫以室廡籍，謂之毀成；以六畜籍，謂之止生；以田畝籍，謂之禁耕；以正人籍，謂之離情；以正戶籍，謂之養贏。五者不可畢用，故王者遍行而不盡也。故天子籍於幣，諸侯籍於食。中歲之谷，糶石十錢。大男食四石，月有四十之籍；大女食三石，月有三十之籍；吾子食二石，月有二十之籍。歲凶穀貴，糴石二十錢。則大男有八十之籍，大女有六十之籍，吾子有四十之籍。是人君非發號令穡而戶籍也。彼人君守其本委謹，而男女諸君吾子無不服籍者也。一人廩食，十人得餘；十人廩食，百人得餘；百人廩食，千人得餘。夫物多則賤，寡則貴。散則輕，聚則重，人君知其然，故視國之羨不足而御其財物。穀賤則以幣予食，布帛賤則以幣予衣。視物之輕重而御之以準。故貴賤可調，而君得其利。

……

然則大國內款，小國用盡，何以及此？曰：百乘之國，官賦軌符，乘四時之朝夕，御之以輕重之準，然後百乘可及也。千乘之國，封天財之所殖，械器之所出，財物之所生，視歲之滿虛而輕重其祿，然後千乘可足也。萬乘之國，守歲之滿虛，乘民之緩急，正其號令而御其大準，然後萬乘可資也。

（節選自管仲著，姜濤注《管子新注》，齊魯書社 2009 年版）

編選説明 ● ● ●

本篇選自《管子・國蓄》。作者主張運用行政權力，操控關係國計民生的糧食和貨幣，防止富商大賈操縱市場以取利；同時，國家也可以通過市場、價格及信貸手段，調節財政收支。作者關於市場、價格等方面的分析，在中國經濟思想史上影響深遠；關於儲存糧食等主張，也一直為後代有作為的理財家所重視。

桓寬

通有（節選）

大夫曰：「燕之涿薊，趙之邯鄲，魏之溫軹，韓之滎陽，齊之臨淄，楚之宛陳，鄭之陽翟，三川之二周，富冠海內，皆為天下名都。非有助之耕其野而田其地者也，居五諸侯之衢，跨街沖之路也。故物豐者民衍，宅近市者家富。富在術數，不在勞身；利在勢居，不在力耕也。

文學曰：「荊、揚，南有桂林之饒，內有江湖之利，左陵陽之金，右蜀漢之材，伐木而樹谷，燔萊而播粟，火耕而水耨，地廣而饒財；然民鮆窳偷生，好衣甘食。雖白屋草廬，歌謳鼓琴，日給月單，朝歌暮戚。趙中山帶大河，纂四通神衢，當天下之蹊。商賈錯於路，諸侯交於道。然民淫好末，侈靡而不務本。田疇不修，男女矜飾。家無斗筲，鳴琴在室。是以楚趙之民均貧而寡富。宋衛韓梁好本稼穡，編戶齊民，無不家衍人給。故利在自惜，不在勢居街衢；富在儉力趣時，不在歲司羽鳩也。」

大夫曰：「五行，東方木，而丹章有金銅之山；南方火，而交趾有大海之川；西方金，而蜀隴有名材之林；北方水，而幽都有積沙之地。此天地所以均有無而通萬物也。今吳越之竹，隋唐之材，不可勝用，而曹衛梁宋採棺轉屍；江湖之魚，萊黃之鮐，不可勝食，而鄒魯周韓藜藿蔬食。天地之利無不贍，而山海之貨無不富也，然百姓匱乏，財用不足，多寡不調，而天下財不散也。」

文學曰：「古者，采椽不斲，茅茨不翦，衣布褐，飯土硎，鑄金為鉏，埏埴為器，工不造奇巧，世不寶不可衣食之物。各安其居，樂其俗，甘其食，便其器。是以遠方之物不交，而崑山之玉不至。今世俗壞而競於淫靡，女極纖微，工極技巧，雕素樸而尚珍怪，鑽山石而求金銀，沒深淵求珠璣，設機陷求犀象，張網羅求翡翠，求蠻貉之物以眩中國，徙邛筰之貨致之東海，交萬里之財，曠日費功，無益於用。是以褐夫匹婦勞罷力屈，而衣食不足也。故王者禁溢利，節漏費。溢利禁則反本，漏費節則民用給。是以生無乏資，死無轉屍也。」

大夫曰：「古者宮室有度，輿服以庸；采椽茅茨，非先王之制也。君子節奢刺儉，儉則固。昔孫叔敖相楚，妻不衣帛，馬不秣粟。孔子曰：'不可，大儉極下。' 此蟋蟀所為作也。管子曰：'不飾宮室則材木不可勝用，不充庖廚則禽獸不損其壽。無末利，則本業無所出，無黼黻則女工不施。' 故工商梓匠，邦國之用、器械之備也，自古有之，非獨於此。弦高販牛於周，五羖賃車入秦，公輸子以規矩，歐冶以鎔鑄。語曰：百工居肆，以致其事；農商交易，以利本末。山居澤處，蓬蒿墝埆，財物流通，有以均之。是以多者不獨衍，少者不獨饉。若各居其處，食其食，則是橘柚不鬻，朐鹵之鹽不出，旃罽不市，而吳唐之材不用也。」

文學曰：「孟子云：'不違農時，谷不可勝食。蠶麻以時，布帛不可勝衣也。斧斤以時，材木不可勝用。田漁以時，魚肉不可勝食。' 若則飾宮室，增臺榭，梓匠斲巨為小，以圓為方，上成雲氣，下成山林，則材木不足用也。男子去本為末，雕文刻鏤以象禽獸，窮物究變，則谷不足食也。婦女飾微治細以成文章，極伎盡巧，則絲布不足衣也。庖宰烹殺胎卵，煎炙齊和，窮極五味，則魚肉不足食也。當今世，非患禽獸不損，材木不勝，患僭侈之無窮也；非患無旃罽橘柚，患無狹廬糠糠糟也。」

（節選自虞祖堯等編著《中國古代經濟著述選讀》（上），吉林人民出版社 1985 年版）

編選說明 •••

本篇選自桓寬《鹽鐵論》。桓寬，字次公，西漢人。《鹽鐵論》是西漢桓寬根據漢昭帝始元六年（公元前 81 年）在京師長安召開的鹽鐵會議的記錄，予以推衍曾廣而成，桑弘羊的政治經濟思想在其中得到了全面的反映。《通有》即互通有無之意。其中，桑弘羊充分肯定了工商業在社會中的重要作用。他認為，農業是經濟的根本，它與手工業和商業是密切相連，相互促進的。只有大力發展手工業，才能生產出更多的社會財富和提供更多的農業生產工具，只有大力發展商業，才能使物資得到流通和充分利用，增加財政收入，促進經濟發展。所以，要富國強兵，就必須「開本末之途，通有無之用」，使農工商師各得所欲，都得到發展。

陸楫

論崇奢黜儉

論治者類欲禁奢，以為財節則民可與富也。噫！先正有言，天地生財，止有此數，彼有所損，則此有所益。吾未見奢之足以貧天下也。

自一人言之，一人儉則一人或可免於貧；自一家言之，一家儉則一家或可免於貧。至於統論天下之勢則不然。治天下者，將欲使一家一人富乎？抑亦欲均天下而富之乎？予每博觀天下之勢，大抵其地奢則其民必易為生；其地儉則其民必不易為生者也。何者？勢使然也。今天下之財賦在吳越，吳俗之奢，莫盛於蘇杭之民，有不耕寸土而口食膏粱，不操一杼而身衣文繡者，不知其幾何也。蓋俗奢而逐末者眾也。只以蘇杭之湖山言之，其居人按時而游，遊必畫舫肩輿，珍羞良醲，歌舞而行，可謂奢矣。而不知輿夫舟子，歌童舞妓，仰湖山而待爨者不知其幾。故曰：彼有所損，則此有所益。

若使傾財而委之溝壑，則奢可禁。不知所謂奢者，不過富商大賈，豪家巨族，自侈其宮室車馬，飲食衣服之奉而已。彼以粱肉奢，則耕者、庖者分其利；彼以紈綺奢，則鬻者、織者分其利。正《孟子》所謂通功易事、羨補不足者也。上之人胡為而禁之？

若今寧、紹、金、衢之俗，最號為儉。儉則宜其民之富也。而彼諸郡之民，至不能自給，半遊食於四方，凡以其俗儉而民不能以相濟也。要之先富而後奢，先貧而後儉，奢儉之風，起於俗之貧富。雖聖王復起，欲禁吳越之奢難矣。

或曰不然。蘇杭之境，為天下南北之要衝，四方輻輳，百貨畢集，使其民賴以市易為生，非其俗之奢故也。噫！是有見於市易之利，而不知所以市易者，正起於奢。使其相率為儉，則逐末者歸農矣，寧復以市易相高耶？且自吾海邑言之。吾邑僻處海濱，四方之舟車不一經其地，諺號為「小蘇州」，游賈之仰給於邑中者，無慮數十萬人，特以俗尚甚奢，且民頗易為生耳。

然則吳越之易為生者，其大要在俗奢。市易之利，特因而濟之耳。固不專恃乎此也。長民者因俗以為治，則上不勞而下不擾；欲徒禁奢可乎？嗚乎！此可與智者道也。

（節選自陳紹聞主編《中國古代經濟文選》第三分冊，上海人民出版社 1982 年版）

編選說明 ●●●

本篇選自陸楫《蒹葭堂雜著摘抄》。陸楫（1515—1552），字思豫，號小山，松江上海人，明代經濟思想家，文學家，著有《蒹葭堂稿》。文中一反歷來崇尚節儉的傳統思想，反對禁奢，主張崇奢黜儉。陸楫認為，節儉僅對個人和家庭有利，從社會考慮則有害；富人奢侈對國家並無害處，反而可以增加窮人的謀生手段，使許多人從中受益。陸楫崇奢黜儉的主張，進一步發展了《管子》的侈靡說，與

18 世紀英國古典經濟學的先驅孟迪維爾在《蜜蜂的寓言》所提出的思想完全一致，但在時間上早了 100 多年。

擴展閱讀

1. 哈耶克：《通往奴役之路》，中國社會科學出版社 1997 年。
2. 約瑟夫.斯蒂格利茨：《社會主義向何處去——經濟體制轉型的理論與證據》，吉林人民出版社 1998 年。
3. 約瑟夫.斯蒂格利茨：《自由市場的墜落》，機械工業出版社 2011。
4. 詹姆斯.米德：《效率、公平與產權》，北京經濟學院出版社 1992 年。
5. 熊彼特：《資本主義、社會主義和民主主義》，商務印書館 1979 年。
6. 熱若爾.羅蘭：《轉型與經濟學》，北京大學出版社 2002 年。
7. 曼昆：《經濟學原理》（第 5 版），北京大學出版社 2009 年。
8. 王福重：《寫給中國人的經濟學》，機械工業出版社 2010 年。

四 ●●● 制度篇

列寧

帝國主義的性質及其歷史地位

現在我們正當試作一個總結，把以上關於帝國主義的論述歸納一下。帝國主義是作為一般資本主義基本特性的發展和直接繼續而生長起來的。但是，只有在資本主義發展到一定的，很高的階段，資本主義的某些基本特性開始轉化成自己的對立面，從資本主義到更高級的社會經濟結構的過渡時代的特點已經全形成和暴露出來的時候，資本主義才變成了資本帝國主義。在這一過程中，經濟上的基本事實，就是資本主義的自由競爭為資本主義的壟斷所代替。自由競爭是資本主義和一般商品生產的基本特性；壟斷是自由競爭的直接對立面，但是我們眼看著自由競爭開始轉化為壟斷：自由競爭造成大生產，排擠小生產，又用更大的生產來代替大生產，使生產和資本的集中達到這樣的程度，以致從中產生了並且還在產生著壟斷，即卡特爾，辛迪加，托拉斯以及同它們相融合的十來家支配著幾十億資金的銀行的資本。

同時，從自由競爭中生長起來的壟斷開下消除自由競爭，而是凌駕於這种競爭之上，與之並存，因而產生許多特別尖銳特別劇烈的矛盾，摩擦和衝突。壟斷是是從資本主義到更高級的制度的過渡。

……

如果必須給帝國主義下一個儘量簡短的定義，那就應當說，帝國主義是資本主義的壟斷階段。這樣的定義能包括最主要之點，因為一方面，金融資本就是和工業家壟斷同盟的資本融合起來的少數壟斷性的最大銀行的銀行資本：另一方面，瓜分世界，就是由無阻礙地向未被任何一個資本主義大國佔據的地區推行的殖民政策，過渡到壟斷地佔有已經瓜分完了的世界領土的殖民政策。

……

過於簡短的定義雖然方便(因為它概括了主要之點），但是從中分別推導出應當下定義的現象的那些最重要的特點，這樣的定義畢竟是不夠的。因此，如果不忘記所有定義都只有有條件的，相對的意義，永遠也不能包括充分發展的現象一切方面的聯繫，就應當給帝國主義下這樣一個定義，其中要包括帝國主義的如下五個基本特徵：（1）生產和資本的集中發展到這樣高的程度，以致造成了在經濟生活中起決定作用的壟斷組織；（2）銀行資本工業資本已經融合起來，在這個「金融資本的」基礎上形成了金融寡頭;（3）和商品輸出不同的資本輸出具有特別重要的意義；（4）瓜分世界的資本家國際壟斷同盟已經形成；（5）最大資本主義大國已把世界上的領土瓜分完畢。帝國主義是發展到壟斷組織和金融資本的統治已經確立，資本輸出具有突出意義、國際托拉斯開始瓜分世界、一些最大的資本主義國家已把世界全部領土瓜分完畢這一階段的資本主義。

……

我們已經看到，帝國主義就其經濟實質來說，是壟斷資本主義。這就決定了帝國主義的歷史地位，因為在自由競爭的基礎上，而且正是從自由競爭中生長起來的壟斷，是從資本主義社會經濟結構向更高級的結構的過渡。必須特別指出能夠說明我們研究的這個時代的壟斷的四種主要形式，或壟斷資本主義的四種主要表現。

……

第一，壟斷是從發展到很高階段的生產集中生長起來的。這指的是資本家的壟斷同盟卡特爾、辛迪加、托拉斯。我們看到，這些壟斷同盟在現代經濟生活中起著多麼大的作用。到 20 世紀初，它們已經在各先進同家取得了完全的優勢。如果說，最先走上卡特爾化道路的，是那些實行高額保護關稅制的同家（德國和美國），那麼實行自由貿易制的英國也同樣表明了壟斷由生產集中產生這個基本事實，不過稍微遲一點罷了。

……

第二，壟斷導致加緊搶佔最重要的原料產地，尤其是資本主義社會的基礎工業部門，即卡特爾；化程度最高的工業部門，如煤炭工業和鋼鐵工業所需要的原料產地。壟斷地佔有最重要的原料產地，大大加強了大資本的權力，加劇了卡特爾化的工業和沒有卡特爾化的工業之間的矛盾。

……

第三，壟斷是從銀行生長起來的。銀行已經由普通的中介企業變成了金融資本的壟斷者。在任何一個最先進的資本主義國家中，為數不過三五家的最大銀行實行工業資本同銀行資本的「人事結合」，集中支配著占全國資本和貨幣收入很大部分。

……

壟斷資本主義使資本主義的一切矛盾尖銳到什麼程度，這是大家都知道的。只要指出物價高漲和卡特爾的壓迫就夠了。這種矛盾的尖銳化，是從全世界金融資本取得最終勝利時開始的過渡歷史時期的最強大的動力。

……

第四，壟斷是從殖民政策生長起來的。在殖民政策的無數「舊的」動機以外，金融資本又增加了爭奪原料產地、爭奪資本輸出。爭奪「勢力範圍」（進行有利的交易、取得租讓、取得壟斷利潤等等的範圍）直到爭奪一般經濟領土的動機。例如，當歐洲大國在非洲的殖民地占非洲面積，十分之一的時候（那還是 1876 年的情況），殖民政策可以用非壟斷的方式，用所謂「自由佔領」土地的方式發展。但是，當非洲十分之九的面積已經被佔領（到 1900 年時），全世界已經瓜分完畢的時候，一個壟斷地佔有殖民地、因而使瓜分世界和重新瓜分世界的鬥爭特別尖銳起來的時代就下可避免地到來了。

……

壟斷，寡頭統治，統治趨向代替了自由趨向，極少數最富強的國家剝削愈來愈多的弱小國家，……這一切產生了帝國主義的這樣一些特點，這些特點使人必須說帝國主義星寄生的或腐朽的資本主義。帝國主義的趨勢之一，即形成為「食利國」。高利貸國的趨勢愈來愈顯著，這種國家的資產階級愈來愈依靠輸出資本和「剪息票」為生。如果以為這一腐朽趨勢排除了資本主義的迅速發展，那就錯了。不，在帝國主義時代，某些工業部門，某些資產階級階層，某些國家，不同程度地時而表現出這種趨勢，時而又表現出那種趨勢。整個說來，資本主義的發展比從前要快得多，但是這種發展不僅一般地更不平衡了，而且這種不平衡還特別表現在某些資本最雄厚的國家（英國）的腐朽上面。

（節選自《列寧全集》第 27 卷，人民出版社 1990 年版）

編選說明 ●●●

本篇選自列寧《帝國主義是資本主義的最高階段（通俗的論述）》（俗稱帝國主義論），篇名為編者所加。《帝國主義是資本主義的最高階段》是馬克思《資本論》的直接繼續和進一步發展，它總結了《資本論》問世後半個世紀中資本主義的發展，第一次建立了關於帝國主義的理論體系，開闢了馬克思主義政治經濟學發展的中的一個新階段。在本篇中，列寧論述了帝國主義的實質、特徵及其產生的原因和歷史地位，認為帝國主義就其經濟實質而言，就是壟斷資本主義，是從資本主義社會經濟結構向更高級的結構的過渡，它具有腐朽性、寄生性，是垂死的資本主義。

毛澤東

新民主主義的經濟

在中國建立這樣的共和國，它在政治上必須是新民主主義的，在經濟上也必須是新民主主義的。

大銀行、大工業、大商業，歸這個共和國的國家所有。「凡本國人及外國人之企業，或有獨佔的性質，或規模過大為私人之力所不能辦者，如銀行、鐵道、航路之屬，由國家經營管理之，使私有資本制度不能操縱國民之生計，此則節制資本之要旨也。」這也是國共合作的國民黨的第一次全國代表大會宣言中的莊嚴的聲明，這就是新民主主義共和國的經濟構成的正確的方針。在無產階級領導下的新民主主義共和國的國營經濟是社會主義的性質，是整個國民經濟的領導力量，但這個共和國並不沒收其它資本主義的私有財產，並不禁止「不能操縱國民生計」的資本主義生產的發展，這是因為中國經濟還十分落後的緣故。

這個共和國將採取某種必要的方法，沒收地主的土地，分配給無地和少地的農民，實行中山先生「耕者有其田」的口號，掃除農村中的封建關係，把土地變為農民的私產。農村的富農經濟，也是容許其存在的。這就是「平均地權」的方針。這個方針的正確的口號，就是「耕者有其田」。在這個階段上，一般地還不是建立社會主義的農業，但在「耕者有其田」的基礎上所發展起來的各種合作經濟，也具有社會主義的因素。

中國的經濟，一定要走「節制資本」和「平均地權」的路，決不能是「少數人所得而私」，決不能讓少數資本家少數地主「操縱國民生計」，決不能建立歐美式的資本主義社會，也決不能還是舊的半封建社會。誰要是敢於違反這個方向，他就一定達不到目的，他就自己要碰破頭的。

這就是革命的中國、抗日的中國應該建立和必然要建立的內部經濟關係。

這樣的經濟，就是新民主主義的經濟。

而新民主主義的政治，就是這種新民主主義經濟的集中的表現。

（節選自《毛澤東選集》第2卷，人民出版社1992年版）

編選說明●●●

本篇選自毛澤東《新民主主義論》。《新民主主義論》是毛澤東1940年1月9日在陝甘寧邊區文化協會第一次代表大會上的講演，原題為《新民主主義的政治與新民主主義的文化》。文中，毛澤東科學總結了鴉片戰爭以後，特別是共產黨成立以後中國革命的經驗教訓，深刻論述了中國民主革命發展的基本規律，第一次旗幟鮮明地提出了新民主主義的完整理論，豐富和發展了馬列主義有關民族和殖民地革命的理論。本篇是毛澤東關於新民主主義社會在經濟方面的構想。他認為，由於中國經濟還十分落後，因此，新民主主義社會並不沒收其它資本主義的私有財產，並不禁止資本主義生產的發展，但是，必須走「節制資本」和「平均地權」的道路，決不能「少數人所得而私」，讓少數資本家少數地主「操縱國民生計」，大銀行、大工業、大商業等關係國計民生的行業和領域，必須歸國家所有，由國家經營管理，同時，要沒收地主的土地，分配給無地和少地的農民，實行「耕者有其田」。

科斯

對損害負有責任的定價制度

我想以一個案例的剖析作為分析的起點。對此案例，大多數經濟學家可能都同意以下觀點，即當造成損害的一方賠償所有損失，並且定價制度正常運行時（嚴格地說，這意味著定價制度的運行是不需成本的），這一問題就會得到令人滿意的解決。

走失的牛損壞鄰近土地的穀物生長一案，是說明我們所要討論的問題的很好例子。假定農夫和養牛者在毗鄰的土地上經營。再假定在土地之間沒有任何柵欄的情形下，牛群規模的擴大就會增加農夫的穀物損失，牛群規模擴大產生的邊際損失是什麼則是另一個問題，這取決於牛是否習慣於相互尾隨或並排漫遊，取決於由於牛群規模的擴大和其它類似因素，是否使牛變得越來越不安定。就眼前的目的而言，對牛群規模的擴大所造成的邊際損失的假定是無關宏旨的。

為簡化論述，我嘗試運用一個算術例子。假定將農夫的土地用柵欄圍起來的年成本為 9 美元，穀物價格為每噸 1 美元，並假定牛群數與穀物年損失之間的關係如下：

假定養牛者對所造成的損害承擔責任。如果他將牛群數目從 2 頭增加到 3 頭，他現追加年成本 3 美元。在決定牛群規模時，他就須聯繫其它成本來考慮這一因素。這就是，除非追加生產的牛肉（假定養牛者宰殺牛）價值大於包括增加的損壞穀物價值在內的附加成本，否則他不會擴大牛群。當然，如果利用狗、放牧人、飛機、步話機和其它辦法可減少損害，如果其成本低於免於損失的穀物價值，這些辦法就會被採用。假定圈圍土地的年成本為 9 美元，養牛者希望有 4 頭或更多的牛，當沒有其它更便宜的方法可達到同樣目的時，養牛者願支付這筆費用。當棚欄圍起來後，由於損害責任而產生的邊際成本為零，除非牛群規模擴大而不得不加固並建造花費更大的柵欄，因為養牛者有責任依靠這些柵欄管好更多的牛。當然。對養牛者而言，不設柵欄而支付穀物的損失費也許更合算，就像在上述算術例子中牛群只有 3 頭牛或更少一些時那樣。

牛群數目（頭）	穀物年損失（噸）	每增加一頭牛所造成的穀物損失（噸）
1	1	1
2	3	2
3	6	3
4	10	4

人們可能會想，養牛者將支付所有穀物損失這一事實會促使農夫增加種植量，假如養牛者逐漸佔據了鄰近土地的話。但是，事實並非如此。如果以前在完全競爭的條件下出售穀物，邊際成本等於已種穀物數量的價格，生產的任何擴張都會減少農夫的利潤。因為在新的情況下，穀物損害的存在意味著農夫在公開市場上出售穀物量的減少，但既然養牛者將為損失的穀物支付市場價，所以農夫從既定產量中得到的收入不變。當然，放牛一般都會造成穀物損失，因此養牛業開始

出現時會抬高穀物的價格，那時農夫就會擴大種植。不過，我只想將注意力限於單個農夫的情況。

我說過，養牛者佔據鄰近土地不會促使農夫增加產量，確切地說是種植量。實際上，如果說養牛會有什麼影響的話，那它只會減少種植量。理由是，就既定的某塊土地而言，如果受損害的穀物價值是如此之大，以致於從未被損害的穀物的銷售中得到的收入少於耕種該塊土地的總成本，那麼對於農夫和養牛者來說，達成一筆交易而不將這塊土地留作耕種是有利可圖的。通過一個算術例子可以清楚地說明這個問題。假定起初耕種某塊土地所收穫的穀物價值為 12 美元，耕種成本為 10 美元，純收益為 2 美元。為簡明起見，假設農夫擁有土地。現在假定養牛者開始在鄰近的土地上經營，穀物損失的價值為 1 美元。在此情況下，農夫在市場上銷售穀物獲得 11 美元，因蒙受損失得到養牛者賠償 1 美元，純收益仍為 2 美元。現在假定養牛者發現擴大牛群規模有利可圖，即便損害賠償費增加到 3 美元也不在乎，這意味著追加牛肉生產的價值將大於包括 2 元額外損害賠償費在內的追加成本。但是，現在總的損害賠償支出是 3 美元。農夫耕種土地的純收益仍是 2 美元。如果農夫同意在任何損害賠償低於 3 美元時就不耕種他的土地，則養牛者的境況就好轉了。農夫為任何高於 2 美元的賠償費都會同意不耕種那塊土地。顯然，使農夫放棄耕作而達成滿意交易的餘地還是有的。但同樣的觀點不僅適用於農夫耕作的整塊土地，而且也適用於任何分成小塊的土地。例如，牛有相當固定的通往小溪或樹蔭地帶的路線，在此情形下，沿途道路兩旁的穀物損害量也許較大，因此，農夫與養牛者將發現，達成一項農夫不耕種這塊狹長土地的交易會對雙方都有利。

然而，也可能出現另一種情況。假定牛有一條相當固定的路線，再假定耕種這一狹長土地所獲穀物價值為 10 美元，但耕種成本為 11 美元。在沒有養牛者的情況下，土地就會荒蕪。然而，當出現養牛者之後，如果耕種這塊土地，所種穀物很可能會被牛損壞。在此情形下，養牛者將被迫支付給農夫 10 美元，誠然，農夫會損失 1 美元，但養牛者則損失 10 美元。很明顯，這種狀況不會無限期地持續下去，因為任何一方都不想這樣做。農夫的目的是要養牛者支付賠償，作為對農夫同意不耕種這塊土地的報答。農夫不可能獲得高於用柵欄圈圍這塊土地的成本的賠償費，以致於使養牛者放棄使用鄰近的土地。實際上，賠償費的支付額取決於農夫與養牛者進行討價還價的本領。但這筆費用既不會高得使養牛者放棄這塊土地，也不會隨牛群規模而變。這種協定不會影響資源的配置，但會改變養牛者與農夫之間的收入和財富的分配。我認為，如果養牛者對相應的損害承擔責任，而且定價制度運行正常，在計算牛群規模的擴大所包含的附加成本時顯然須考慮其它方面產值的減少這一因素。該成本應參照牛肉生產的附加價值來衡量，並假定養牛業處於完全競爭狀態時，養牛方面的資源配置將最佳化。需要強調的是，在養牛的成本可能低於通常牛對穀物的損害時，要考慮其它方面產值的下降，因為市場交易的結果可能引起土地耕種的停止。在牛引起損害且養牛者願意支付賠償費的情況下，這筆賠償費超過農夫使用土地的支出總是令人滿意的。在完全競爭條件下，農夫使用土地的支出等於該土地上生產要素的總產值與其在次憂使用狀態下的附加產值之間的差額（而農夫不得不為這些要素支付費用）。若損害超過農夫使用土地的支出，則要素在其它方面使用的附加產值將超過在考慮到損害後使用該土地的總產值。因此，人們就會放棄耕種這塊土地而將各種要素投到其它方面的生產中去。僅規定牛損害穀物必須賠償但不允許終止耕種，會導致養牛業中生產要素過少和穀物種植業中生產要素過多。但如果存在市場交易，則對穀物的損害超過土地租金的情況不會持久。不論是養牛者支付給農夫一筆錢讓他放棄土地，還是養牛者支付給土地所有者一筆稍高於給農夫的錢（若農夫自己正式租地的話）而自己租下土地，最終結果都一樣，即使產值最大化。即使農夫種植在市場上無利可圖的穀物，這也純粹是短期現象，而且可以預料農夫與養牛者將達成一項停止種植的協定。但養牛者仍將留在原地，肉類生產的邊際成本依然如故，因此，對資源配置沒有任何長期影響。

（節選自〔英〕R.H.科斯等著，劉守英等譯《財產權利與制度變遷——產權學派與新制度學派譯文集》，上海三聯書店 1994 年版）

編選說明 •••

本篇選自 R.H.科斯的《社會成本問題》，篇名為編者所加。《社會成本問題》是科斯的代表作之一。該文通過農夫與養牛者相互影響的例子，研究了在交易成本為零、產權界定清晰的情況下，市場交易行為的特徵和結果。他認為，如果交易成本為零，而且對產權的界定是清晰的，那麼不管法律對初始權利如何界定，通過市場交易都能夠實現資源的最優配置。施蒂格勒將科斯的這一思想概括為「在完全競爭條件下，私人成本等於社會成本」，並命名為「科斯定理」。「科斯定理」的提出，進一步強化了市場在資源配置中的作用和產權明晰在市場經濟中的地位，為解決市場失靈問題提供了新的思路。

道格拉斯·諾斯

制度變遷的非連續性

關於非連續性的變遷，我所指的是正規規則的一種根本變遷，它常常是武力征服和革命的結果。我沒有提供一個革命的理論，它是一批浩繁文獻的主題，從我們這裏的討論中，在已發展的理論框架給定的情況下，有幾個觀點是貼切的。

1·漸進的變化是指，交易的雙方（至少是交易雙方中的一方）為從交易中獲取某些潛在收益而再簽約。這類再簽約可能從非常簡單的形式到斯克波爾所稱的政治革命形式，後者是用政治制度內涵使得雙方從事新的談判和妥協成為可能。政治制度（無論是正規的或是非正規的）可以為演進性變遷提供一個周密的框架。如果這一制度框架沒有演進，參與交易的雙方就沒有一個解決爭端的框架，從交易中獲取潛在收益的目的就無法實現企業家就可能企圖通過罷工、違紀和其它方式來形成壓力集團，以求打破僵局。

2·無力達成妥協的解決方式可能不僅表現為調停制度的缺乏，而且還表現為企業家談判的自由及仍然維持他們的選民集團的威信有限。因此，衝突雙方的實際選擇集合可能沒有交叉，這樣即便從解決違約中能獲取較大的潛在收益，企業家有限的談判自由與缺乏減輕困難的制度的結合會使得這樣做沒有可能。

3·由於爭端的任何一方都不具有獲勝的藝術，雙方就必須結成聯盟，以對付其它利益團體。不過，由於革命成功的最終結果，由於在聯盟內重建規則時的衝突，會使得其結果非常不確定。因而報酬的分配會有衝突，這樣會導致進一步的衝突。

4・對暴力行動的廣泛支持需要意識形態的承諾以克服搭便車問題。參加者的意識形態越強，他們願意支付的價格越高，革命就越有可能成功。

5・這些不連續的變遷與非連續的演進性變遷具有某些共同的特徵（這在人口理論中被作為均衡的中斷特徵），但是最為顯著的特徵或許是，它在表面上看有許多是不連續的（或在革命的旗號下）。之所以很少是非連續的，這部分是由於結盟是革命成功的實質核心，它往往具有短時的效果。意識形態疏遠與一個共同的對手被無力解決的意識形態差異以及衝突性的償付需求所替代。一種力量可能會簡單地消去另一方，但是更為共同的特徵是長時期的不穩定的和激烈的妥協。

此外，儘管意識形態承諾是大眾支持革命的必要條件，但這也是很難堅持下去的。在面對一個共同的愛憎恨的壓迫者時，放棄財富和收入以換取其它價值是一回事，但是這種交易的價值會隨著壓迫者的消滅而變化。因此，在一定程度上，新的正規規則是建立在一種為意識形態承認的激勵體制上的，他們會被破壞掉，並會被迫轉向更能相交的制約，正如現代社會主義經濟學家已發現的那樣。

所有這些中也許最重要的是，正規規則會變遷，而非正規制約卻不會變遷，由此會形式非正規制約與新的正規規則之間的緊張關係，正如許多規則相互之間是不一致的一樣。隨著向先前的正規規則的延伸，非正規制約會逐漸演進，如上所述，一個順勢的趨勢是，新的正規規則會補償現存的非正規制約，這類變遷有時是可能的，尤其是在一個局部均衡邏輯下。但是它忽略了作為許多工作非正規制約基礎的深層的文化遺傳。儘管正規規則的整個變遷可能會發生，但同時有許多非正規制約卻具有極大的生存能力，因為它們仍能解決參加者之間基本的交換問題。這些包括社會的、政治的和經濟的規則，在一般時期的結果傾向於在兩個方向對整個制約進行重建，以產生一個新的遠離革命的均衡。

（節選自〔美〕道格拉斯・諾斯著，劉守英譯《制度、制度變遷與經濟績效》，上海三聯書店 1994 年版）

編選說明 ●●●

本篇選自道格拉斯・諾斯《制度、制度變遷與經濟績效》，篇名為編者所加。作者對制度變遷的非連續性的原因進行了分析。

道格拉斯・諾斯

諾斯悖論

國家的存在是經濟增長的關鍵，然而國家又是人為經濟衰退的根源。

……

具有一個福利或效用最大化的統治者的國家模型具有 3 個基本特徵，其一是說明統治者與選民的交換過程，其它兩個說明確定交換要素的條件。

第一，國家為獲取收入，以一組服務——我們稱之為保護——與公正作交換。由於提供這些服務存在規模經濟，因而作為一個專門從事這些服務的組織，它的社會總收入大於每一個社會個體自己保護自己擁有的產權的收入。

第二，國家試圖像一個帶有歧視性的壟斷者那樣活動，為使國家收入最大化，它將選民分為各個集團，並為每一個集團設計產權。

第三，由於總是存在著能提供同樣服務的潛在競爭對手，國家受制於其選民的機會成本。它的對手是其它國家以及在現存政治——經濟單位中可能成為潛在統治者的個人。因而，統治者壟斷權力的程度是各個不同選民集團替代度的函數。

……

國家提供的基本服務是博弈的基本規則。無論是無文字記載的習俗（在封建莊園中），還是用文字寫成的憲法演變，都有兩個目的：一是，界定形成產權結構的競爭與合作的基本規則（即在要素和產品市場上界定所有權結構），這能使統治者的租金最大化。二是，在第一個目的框架中降低交易費用以使社會產出最大，從而使國家稅收增加。這第二個目的將導致一系列公共（或半公共）產品或服務的供給，以便降低界定、談判和實施作為經濟交換基礎的契約所引起的費用。

……

結合起來看，上述兩個目的並不完全一致。第二個目的包含一套能使社會產出最大化而完全有效率的產權，而第一個目的是企圖確立一套基本規則以保證統治者自己收入的最大化（或者，如果我們願意放寬單一統治者的假設，那麼就是使統治者所代表的集團或階級的壟斷租金最大化）。從再分配社會的古埃及王朝到希臘與羅馬社會的奴隸制到中世紀的采邑制，在使統治者（和他的集團）的租金最大化的所有權結構與降低交易費用和促進經濟增長的有效率體制之間，存在著持久的衝突。這種基本矛盾是使社會不能實現持續經濟增長的根源。

國家基礎結構的創立旨在界定和實施一套產權，並指定統治者代理人的權力代表。由於代理人的效用函數與統治者並不一致，因此統治者要設立一套規則以圖迫使他的代理人與他自己的利益保持一致。然而，代理人一定程度上並不完全受統治者的約束，因為存在著統治者權力擴散。這也會降低統治者的壟斷租金。我們可以通過探討一個經濟若幹部分的交易費用來預示這種官僚結構。

統治者提供的服務有著不同形狀的供給曲線。某些服務是純粹的公共品，而另外一些則具有典型的 U 型成本曲線，它表明超出某些產出量的平均成本會上陞。保護的成本曲線與國家的軍事技術有關，當保護的邊際成本等於增加的稅收時，它可以確定一個「有效率」的政治——經濟單位的規模。

……

一個經濟包含著不同集團的活動，這些活動具有不同的生產函數，以反映一個政治——經濟單位的技術、資源基數和人口。統治者將界定一套產權，通過監督與測量每個環節的投入與產出，來確保它對每一個不同的經濟實體的壟斷租金最大化。投入與產出範圍的考覈成本將決定不同經濟部門的不同產權結構，因而這種產權結構依賴於考覈技術的水準。哪裏資源測量成本高於收益，哪裏就會存在公共產權。度量衡標準化的出現幾乎同政府的歷史一樣悠久，並通過國家得以發展。標準化發揮著降低交易成本和確保統治者榨取最大量租金的功能。物品與勞務的多尺度化使考覈成本越高，其耗費的租金就越大。

……

統治者總存在對手：與之競爭的國家或本國內部的潛在統治者。後者相當於一個壟斷者的潛在競爭對手。哪裏不存在勢均力敵的替代者，哪裏現存的統治者就好似一個暴君、一個獨裁者或一個專制君主。替代者越是勢均力敵，統治者所擁有的自由度就越低，選民所保留的收入增長的份額也越大。不同的選民有其不同的機會成本，這種機會成本決定每一團體在界定產權和承受稅負方面具有的談判能力。

機會成本同時也反映了統治者提供的服務的配置，這些服務在相當程度上並不純粹是公共品，而統治者要給那些勢均力敵的對手比那些無威脅的人們以更多的服務。

……

剛才描述的簡單靜態模型提出了施於統治者的兩種約束：競爭約束與交易費用約束。兩者通常造成無效率的產權。在第一個約束下，統治者將避免觸犯有勢力的選民。如果勢力接近候選統治者的集團的財富或收入受到產權的不利影響，那麼統治者就會受到威脅，因而，統治者會同意一個有利於這些集團的產權結構而無視它對效率的影響。

有效率的產權也許導致國家的高收入，但與那些較無效率的產權相比，由於交易費用（監督、檢測和課徵賦稅）會減少統治者的稅收，因而統治者常常發現他的利益所在與其說是准予壟斷，不如說是導致更激烈競爭狀況的產權。

我們把兩種約束結合起來解釋無效率產權的擴展。實際上，使統治者（或統治階級）租金最大化的產權結構與它推進經濟增長的作用是相衝突的。

……

然而，當一個政治經濟單位生存在一個由競爭的政治經濟單位所組成的世界裏的時候，如果增長是不穩定的，那麼不增長也是如此。在與更有效率的鄰邦相處的情形下，相對無效率的產權將威脅到一個國家的生存，統治者面臨著或者滅亡或者修改基本的所有權結構以使社會降低交易費用和提高增長率的選擇。

（節選自〔美〕道格拉斯・諾斯著，陳鬱等譯《經濟史中的結構與變遷》，上海三聯書店 1994 年版）

編選說明 ●●●

本篇選自道格拉斯・諾斯《經濟史中的結構與變遷》，篇名為編者所加。國家理論是諾斯制度變遷理論的三大基石之一。諾斯認為，國家的存在既是經濟增長的關鍵，又是人為經濟衰退的根源。因為產權的界定和保護是形成有效率的經濟組織的關鍵、促進經濟增長的關鍵，而國家在界定和保護產權方面具有規模經濟的優勢。同時，由於國家也是追求效用最大化的主體，並且具有合法使用暴力的權力，因此，國家也容易侵犯產權，維護低效率的產權制度，從而阻礙經濟增長。諾斯的國家理論，在新制度經濟學中具有重要的地位。

曼瑟·奧爾森

獨裁、民主和發展（節選）

從事物的邏輯出發，一個小組織由於自願的協定會出現一個和平的秩序，這是很正常的。但是在很大的人群中則不會這樣，關鍵在於每個個體承擔他或她所作的事情的全部成本或風險，以有助於確立一個和平的秩序或其它公共物品，但卻只從中獲得一小部分利潤。在一個很小的組織中，例如一個以打獵和採摘野果活動來組成的小組，每個人或家庭將會從和平秩序所帶來的利益中獲得有重要意義的一份，並且這樣的一種秩序所導致的淨利益是如此巨大，以致甚至一個家庭所獲得的利益可能很容易超過為此所做出的犧牲。再者，當僅有幾個人時，每個人的福利顯然依靠其它每個人是否以小組的利益為導向來指導自己的行為。因此一個家庭通過向每個人表明合作導致進一步的合作，而不合作則不會有進一步的合作，就能夠增加每個人進行配合的可能性，從而增加每個個體必須以小組的利益為導向採取行動的積極性。足夠小的組織能夠以集體行動方式來組建這一理論假設是以無數觀察而得以證明的。

這一假設也與人類學對最原始的社會的考察報告相一致。那種最簡單的靠採摘果實和打獵來獲取食物的社會，常規上是由幾隊人馬組成，包括孩子只不過大約 50 人或 100 人。換句話說，這樣的一夥人在正常情況下只容納需要合作的幾個家庭。人類學發現，原始部落常以自願協定的方式維持和平與秩序。某種程度上就是塔西佗、凱撒和其它古典作家在沒有什麼進化的日爾曼部落所看的情況。最原始的部落傾向於以一致同意的方式做出所有重大集體決策，甚至許多部落沒有領導者。當這一組人馬變得太多或他們之間的分歧加劇時，這組人可能會分裂，而新的一組人也會以一致同意的方式進行決策。如果一個部落處於靠採摘果實和打獵來獲取食物的階段，人們也就很少有或根本沒有征服其它部落或得到奴隸的動力，因為俘虜不能生產足夠多的、比監督他們的成本本身更多的剩餘口糧。因此，最原始的史前農業部落中，從和平秩序中獲得的利益可能是來自於自願協議的這種假設，這在邏輯上看來是更恰當的。

一旦人們學會如何有效地提高穀物等的收成，產量就會提高，人口也會增長，而大量的人口就需要進行統治。當大量的人口存在時，用來說明為什麼較小組織能夠為了他們的共同利益而能一致行動的同樣邏輯，也會告訴我們自願的集體行動不能獲得和平秩序或其它公共產品帶來的利益，甚至當基本的公共物品的供給中的總的淨收益很大時也是如此。主要的原因是，在一個社會中，比如說有一百萬人口，典型的個體不僅只能從集體物品中得到大約一百萬分之一的收益，而且還要承擔他或她為提供這一物品所要做的工作的全部成本。因此這一個體有很少或根本沒有為該集體物品作貢獻的激勵。目前為止這方面有大量的理論和實證文獻，而壓倒多數的文獻都認為，就像較小組織通常能進行自發的集體行動一樣，較大的組織則不能以自發的集體行動達成共同的目標。

那麼為什麼大多數人口眾多的社會在歷史上都避免了無政府狀態

呢？當我讀了描述一位中國軍閥的書時，偶然得到了答案。在 20 世紀 20 年代，中國大部份地區被軍閥割據。他們武裝一隊人馬，佔領一塊地盤，然後在各自的地盤上自立為王。他們向人民徵重稅，大多裝入自己的腰包。軍閥馮玉祥就是因為用他的軍隊鎮壓土匪，並擊敗了相對有實力的流竄匪幫而擁有這種特殊地盤，才名聲顯赫的。很明顯，馮玉祥地盤上的大多數人感到他比流竄匪幫更可取。

實際上，如果一個流竄的匪幫理智地安頓下來，以常規收稅的形式竊取財富，同時在他的地盤上保持偷竊方面的壟斷地位，那麼被他要求交稅的那些人會有進行生產的激勵。合理的常駐匪幫僅以稅收的形式獲取部分收入，因為如果他能使他的臣民有動力進行生產，提高他賴以徵稅的收入，那麼他就能從他們手中榨取較大數目的收入。

如果一個常駐的匪幫在他的地盤上壟斷了偷竊，那麼他的受害者便不必擔心其它偷盜者。如果他僅以常規稅收的方式偷盜，那麼他的臣民會知道支付稅金後他們能留下的產出比例。由於這個匪徒的所有臣民對他來說是稅收的來源，他也有激勵阻止他的臣民的兇殺或殘害行為。由於合理的壟斷偷竊——與非協調一致的競爭性偷竊相比——偷竊的受害者能夠期望保留稅後收入所積纍的資本，因而也會有激勵進行儲蓄和投資，進而也就增加了未來收入和稅金收入。結果，對偷竊的壟斷和對生產稅收收入的臣民進行的保護，消除了無政府狀態。既然軍閥以稅的形式偷竊總產品的一部分，那麼提供其它公共物品對他也會有利，因為這些公共物品的供給足以增加可供徵稅的收入。

在一個流竄的匪幫活動頻繁的世界裏，對於任何人來說都很少或根本沒有激勵進行生產或積纍財富，因為它們很有可能被偷走，因此也就沒有什麼可供匪幫偷竊的東西。有理性的匪徒會相應地勸導匪徒頭子抓住一塊特定的地盤，佔地為王，並為當地的居民提供和平秩序和其它公共物品，以稅的形式竊取財富會比流竄搶劫所獲更為豐厚。因此我們得出「看不見的手初次賜福」：流竄匪幫中的理性的、自私自利的匪首被引導著，儘管是由看不見的手牽引著，駐紮下來、戴上王冠，並以其統治來代替無政府狀況。正常情況下，和平秩序和其它公共物品所帶來產出的巨大增加使這位常駐匪徒獲得的利益比他未治理前的大得多。

因此，一般而言，統治比部落更大的群體的政府興起，不是由任何形式的社會契約或自願交易，而是更多地由於那些能夠組建最大武裝力量的人，理性且自私的結果。這些暴力企業家自然不會稱他們自己為匪徒，相反賦予他們自己及其子孫高貴的頭銜。他們有時甚至聲稱靠神權來統治。由於歷史是由勝者一方來寫的，當然統治王朝的起源常規上以高尚的動機這類措詞來解釋，而不是自私自利。各種類型的獨裁者常常聲稱他們的臣民要求他們來統治，因此孕育出與歷史不符的假設，即統治是由自願選擇而形成的。

（節選自盛洪主編《現代制度經濟學》，北京大學出版社 2003 年版）

編選說明 •••

本篇摘自奧爾森的《獨裁、民主和發展》。曼瑟・奧爾森（1932—1998），美國經濟學家，其代表作有《集體行動的邏輯》《國家興衰探源》等。其中《集體行動的邏輯》獲得美國管理學會頒發的「最持久貢獻著作獎」和美國政治學會頒發的「里昂·愛潑斯坦獎」，被認為是公共選擇理論的奠基之作。在本篇中，作者認為，由於公共產品的外部性所導致的搭便車行為和交易成本的巨大，理性的個人往往難以進行合作，產生大規模的集體行動以達成共同的目標。而政府之所以產生，是理性的個人通過成本和收益計算的結果。因此，政府興起，不是由任何形式的社會契約或自願交易，而是更多地由於那些能夠組建最大武裝力量的人，理性且自私的結果。奧爾森對政府產生原因的理論解釋，形成了獨具特色的國家學說。

列寧

產權的概念和作用

產權是一種社會工具，其重要性就在於事實上它們能幫助一個人形成他與其它人進行交易時的合理預期。這些預期通過社會的法律、習俗和道德得到表達。產權的所有者擁有他的同事同意他以特定的方式行事的權利。一個所有者期望共同體能阻止其它人對他的行動的干擾，假定在他的權利的界定中這些行動是不受禁止的。

要注意的很重要的一點是，產權包括一個人或其它人受益或受損的權利。通過生產更優質的產品而使競爭者受損是被允許的，但是如果詆毀他就不行了。一個人可能被允許去詆毀他的入侵者而受益，但是他在一個價格下限下銷售產品則會受到禁止。那麼很顯然，產權是界定人們如何受益及如何受損，因而誰必須向誰提供補償以使他修正人們所採取的行動。這一認識能很容易地導致產權和外部性之間的密切關係。

外部性是一個意義不明確的概念。為了本文的目的，這一概念包括外部成本、外部收益以及現金和非現金的外部性。沒有一種受益或受損效應是在世界以外的，有的人或人們常常會遭受或享有這些效應。將一種受益效應或受損效應轉化成一種外部性，是指這一效應對相互作用的人們的一個或多個決策的影響所帶來的成本太高以至於不值得，這就是該詞在這裏的含義。將這些效應「內在化」是指一個過程，它常常要發生產權的變遷，從而使得這些效應（在更大程度上）對所有的相互作用的人產生影響。

產權的一個主要功能是導引人們實現將外部性較大地內在化的激勵。與社會相互依賴性相聯繫的每一成本和收益就是一種潛在的外部性，使成本和收益外部化的一個必要條件是，雙方進行權利交易（內在化）的成本必須超過內在化的所得。一般地，由於交易中的「自然」困難，交易的成本要相對大於所得，或由於法律的原因它們也可能較大。在一個法制的社會，對自願談判的禁止會使得交易的成本無窮大。當外部性存在時，資源的使用者對有些成本和收益沒有加以考慮，但允許交易中內在化的程度增加。例如可以認為，一個企業在使用奴隸勞動時就沒有承認他的活動的全部成本，因為它可以只向奴隸勞動者支付自給工資。如果允許談判，情形就不會如此，因為奴隸會要求企業向他們支付以作為自由人的預期報酬為基礎的自由的補償。這樣，奴隸的成本在企業的計算中就被內在化了。歐洲封建社會中的農奴向自由人的轉變就是這一進程的一個例子。

外部性的一個最有意義的例子或許是它在徵兵中的廣泛使用。納稅人通過不向講授軍務的教授支付全部成本而受益，他所逃掉的成本是自願提供服務的人們所必須獲得的追加總量。為了免稅，這一總量是由徵兵者向納稅人提供的補償，對於自願徵兵的「將他買進（buy－him－in）」或「讓他以自己的方式將他賣出（let－him－buy－his－way－out）」體制。徵兵的全部成本將由納稅人來承擔。使我經常感到不可思議的是，如此多的經濟學家在看到煙塵時承認它是一種外部性，但當他們看到徵兵時卻不這樣認為。人們所熟悉的煙塵的例子是由於談判的成本可能非常高（由於有大量的相互作用的參與者），而使得將煙塵的所有效應內在化不值得，而徵兵則是一種由禁止談判所造成的外部性。

在以上例子的邏輯關係中，產權在將外部性內在化中所起的作用就十分明顯了。在一項關於一個人的自由權利的法律創立時，如果一個人要得到服務，這將迫使企業對納稅人提供部分補償以足以包括使用他的勞動的成本。因此，勞動的成本在企業或納稅人的決策中就被內在化了。換言之，法律授予了企業或納稅人對奴隸勞動的明確的權利，這將迫使奴隸的所有者考慮願意為他們的自由提供的支付總量。因此，儘管在這兩種情形下財富的分配不同，但這些成本在決策中都被內在化了。在每種情形下內在化所需要的是，所有制包括了售賣的權利，正是對一種產權調整的阻止，對建立一種從那以後可以交換的所有權的禁止，妨礙了外部成本與收益的內在化。

在一個零交易費用的世界，這一進程中有兩個顯著的含義是確實的。當允許產權交換時，由此所致的組合是有效的，且這一組合與所有權分配給誰無關（除不同的財富分配會導致不同的需求外）。例如，老百姓與軍隊的有效組合將導致可轉讓的所有權，而不管納稅人是否會雇傭自願兵，或徵兵是否會為了逃避服役而向納稅者提供補償。由於納稅人所雇傭的只是那些（在「讓他以自己的方式將他賣出」體制下）不願提供免稅的（在「將他買進」體制下）士兵，在「讓他以自己的方式將他賣出」產權體制下，最高的投標者肯定是「將他買進」體制下的最後一位自願者。

（節選自〔美〕R.H.科斯等著，劉守英等譯《財產權利與制度變

遷——產權學派與新制度學派譯文集》，上海三聯書店 1994 年版）

編選說明 •••

本篇選自 H.登姆塞茨《關於產權的理論》，篇名為編者所加。H.登姆塞茨，美國經濟學家。《關於產權的理論》一文，既是他的代表作，也是產權理論研究中的經典文獻。關於產權概念的界定，學術界有很多不同的表述，在本篇中，作者從外部性的角度，論述了產權的概念及其作用，認為，「產權是界定人們如何受益及如何受損，因而誰必須向誰提供補償以使他修正人們所採取的行動」。它「包括一個人或其它人受益或受損的權利」。產權的重要性「就在於事實上它們能幫助一個人形成他與其它人進行交易時的合理預期」，「引導人們實現將外部性較大地內在化的激勵」。由此，產權的概念和功能得到了擴展和深化。

擴展閱讀 •••

1. Y.巴澤爾：《產權的經濟分析》，上海三聯書店 2003 年。
2. 加爾佈雷斯：《經濟學和公共目標》，華夏出版社 2010 年。
3. V.奧斯特羅姆等編：《制度分析與發展的反思》，商務印書館 2001 年
4. 青木昌彥：《比較制度分析》，上海遠東出版社 2001 年。
5. 詹姆斯．布坎南：《憲政的經濟學和倫理學》，商務出版社 2008 年。

6. 詹姆斯・布坎南：《自由、市場和國家》，北京經濟學院出版社 1989 年。
7. 曼瑟・奧爾森：《國家興衰探源》，商務印書館 2001 年。
8. 曼瑟・奧爾森：《集體行動的邏輯》上海三聯書店 2003 年。

後記

在人類文明的歷史長河中，從世界到中國，從遠古到現今，一批批先賢哲人為我們留下了難以計數的經典著作，這些作品極大地推動了社會的進步，豐富了人們的精神文化生活，是人類文明的瑰寶。

中共江西省委宣傳部組織專家按政治、經濟、哲學、法學、文學、歷史、藝術、科技八個門類，從古今中外的經典著作中精選了一批有代表性的作品，分別編輯成冊，供廣大幹部學習借鑒。我們相信，廣大讀者一定可以通過閱讀這套書，獲取知識，獲取智慧，獲取力量。

在選編過程中，借鑒選用了國內一些出版社公開出版的經典著作中的篇章，藉此機會，特向這些著作的著者、整理者、譯者和出版者表示誠摯的謝意。同時歡迎相關著者、譯者見到本書後與我們聯繫，我們將按有關標準及時奉寄稿酬。由於時間緊，加之水準有限，遺珠之處在所難免，請廣大讀者批評指正。

江西人民出版社

2011 年 11 月

昌明文庫．悅讀經典　A0601005

一生必讀的中外經典名著・經濟卷

選　　編　鄭亨清、王少飛、金珍
責任編輯　蔡雅如

發 行 人　陳滿銘
總 經 理　梁錦興
總 編 輯　陳滿銘
副總編輯　張晏瑞
編 輯 所　萬卷樓圖書股份有限公司
排　　版　菩薩蠻數位文化有限公司
印　　刷　百通科技股份有限公司
封面設計　菩薩蠻數位文化有限公司

出　　版　昌明文化有限公司
桃園市龜山區中原街 32 號
電話　(02)23216565
發　　行　萬卷樓圖書股份有限公司
臺北市羅斯福路二段 41 號 6 樓之 3
電話　(02)23216565
傳真　(02)23218698
電郵　SERVICE@WANJUAN.COM.TW
大陸經銷
廈門外圖臺灣書店有限公司
　電郵　JKB188@188.COM

ISBN 978-986-496-029-3
2017 年 7 月初版
定價：新臺幣 400 元

如何購買本書：
1. 劃撥購書，請透過以下郵政劃撥帳號：
　帳號：15624015
　戶名：萬卷樓圖書股份有限公司
2. 轉帳購書，請透過以下帳戶
　合作金庫銀行　古亭分行
　戶名：萬卷樓圖書股份有限公司
　帳號：0877717092596
3. 網路購書，請透過萬卷樓網站
　網址　WWW.WANJUAN.COM.TW
大量購書，請直接聯繫我們，將有專人為您服務。客服：(02)23216565　分機 10

如有缺頁、破損或裝訂錯誤，請寄回更換

國家圖書館出版品預行編目資料

一生必讀的中外經典名著. 經濟卷 / 鄭亨清, 王少飛, 金珍選編. -- 初版. -- 桃園市 : 昌明文化出版 ; 臺北市 : 萬卷樓發行, 2017.07
　面 ;　公分. -- (昌明文庫. 悅讀經典 ; A0601005)　ISBN 978-986-496-029-3(平裝)
1.推薦書目
012.4　　106011513